D1409000

Pour l'école

Paul Inchauspé

Pour l'école

Lettres à un enseignant
sur la réforme des programmes

Liber

Les éditions Liber reçoivent des subventions du Conseil des arts du Canada, du ministère du Patrimoine canadien (PADIE), de la SODEC (programme d'aide à l'édition) et participent au programme de crédit d'impôt-Gestion SODEC pour l'édition de livres du gouvernement du Québec.

Dépôt légal: 1er trimestre 2007

Bibliothèque et archives nationales du Québec

ISBN 978-2-89578-114-1

Réformer notre système d'éducation : voilà le combat des années présentes, condition de tous les autres. Que nous importe une société distincte, dont l'ignorance serait le trait caractéristique? À quoi sert le bavardage politicien sur la priorité de l'économie, alors qu'un nombre grandissant de jeunes quittent l'école sans qualification véritable? Pourquoi une politique libérale envers les créateurs, quand l'inculture raréfie leurs publics? Comment imaginer une démocratie, où des citoyens responsables émergeraient des déserts de l'esprit?

FERNAND DUMONT
Raisons communes

AVANT-PROPOS

J'ai remis plusieurs fois la rédaction de ce livre. Son utilité ne m'a pas paru toujours évidente. Et le goût de m'investir dans sa rédaction est passé par des hauts et des bas. Mais, au milieu de tous ces atermoiements et de ces hésitations, une chose, elle, n'a jamais changé, c'est celle de la forme que prendrait ce livre si, un jour, je me décidais à l'écrire : ce serait des lettres adressées à un enseignant. Et c'est à Baie-Comeau que cette idée s'est imposée à moi.

Octobre 2000. J'avais lu le matin, dans le journal *Le Soleil*, la lettre d'un enseignant qui jugeait durement la réforme de l'éducation dont il venait d'entendre parler. En fait, la réforme de l'éducation qu'il évoquait était la réforme des programmes d'études et il pensait que tout ce branle-bas de combat n'était qu'un coup de dés jetés au hasard qui risquait de faire pas mal de perdants. Je me disais, si la réforme du programme d'études est bien ce qu'il en pense (et sans doute la lui avait-on présentée ainsi), il a raison. Et j'ai failli le lui écrire le jour même. En fin d'après-midi, en me promenant sur la grève, dans ce paysage minéral qui se dressait devant une mer aux couleurs ce jour-là de lagon, j'ai composé cette lettre dans ma tête. Mais je ne l'ai ni rédigée ni envoyée. Un peu par paresse, un peu par devoir de réserve. Mais la graine était semée. Depuis lors, chaque fois que j'ai été tenté de m'exprimer sur cette réforme ou qu'on m'y a invité, c'est toujours la forme de la lettre adressée à un enseignant qui s'est imposée à moi.

Si la forme n'a donc jamais fait de doute, ce que j'aurais à dire dans ces lettres n'a cessé par contre de changer. Devais-je corriger les maladresses de présentation de la réforme? Dire le sens, le pourquoi, de ce qui était proposé alors que les discours des responsables de la mise en œuvre étaient prolixes, savants, très savants, trop savants même, et qu'ils n'insistaient que sur les moyens? Mais intervenir alors, c'était interférer dans un processus dont je n'avais plus la responsabilité, ce qui dans les circonstances aurait été «jouer à la belle-mère». Ayant participé de près à la gestation des orientations de la réforme, devais-je témoigner des raisons des choix, des analyses et des consensus qui les avaient fondés? Mais était-ce déjà le temps de l'histoire? N'était-ce pas encore là une tâche de communication publique absolument nécessaire mais qui revenait d'abord aux responsables de la mise en œuvre? Quand la réforme a atteint le seuil du secondaire, sa contestation a pris la forme d'une cacophonie où se sont entremêlés débats d'universitaires spécialistes des sciences de l'éducation, résistances d'organisations syndicales, interventions des médias frisant parfois la désinformation, chacun renforçant sa position par celle de l'autre. J'avoue que la tentation fut alors grande pour moi d'intervenir pour remettre certaines choses à leur place. Mais la forme que devait prendre ce livre m'a permis d'éviter cette erreur. La lettre que j'ai toujours voulu rédiger pour un enseignant devait s'adresser à son intelligence et à son cœur, elle n'avait donc pas à tremper dans l'encre de la polémique.

En m'obligeant à me situer au-delà des polémiques, la forme que j'avais décidée d'emprunter pour ce livre me conduit là où je n'osais pas encore aller, un peu par pudeur, un peu aussi par timidité. Où? À dire les convictions profondes qui m'ont animé quand j'ai participé à la définition des orientations de cette réforme. À certains moments clefs de cette élaboration, ma préoccupation fut constante: que le nouveau programme d'études permette à l'enseignant qui doit l'appliquer d'exprimer dans son travail, plus que ne le lui permettait l'ancien, les raisons profondes qui fondent le choix de ce métier. Car on fait ce métier parce qu'on veut être un passeur culturel et un éveilleur d'esprit. Quand ces raisons profondes ne sont pas présentes ou qu'elles ne peuvent s'exprimer dans ce qu'on nous demande de faire, il a peu de sens. Et l'on y perd son âme.

Enseigner au primaire et au secondaire et se voir pourtant reconnaître ces rôles de passeur culturel et d'éveilleur d'esprit n'a guère été habituel chez nous. D'abord, on n'ose pas utiliser ces mots : ils sentent trop le collège classique. Comme si la culture pouvait se réduire à la conception qu'on y avait ! Et puis, éveilleur d'esprit, cela est bon pour les niveaux supérieurs de la formation. Mais au primaire ou au secondaire ? Que l'enseignant se contente donc d'un rôle de technicien-applicateur et qu'il le fasse bien ! Plus tard, nous nous occuperons du reste. Il y a chez nous, enracinée dans l'histoire, une condescendance teintée de mépris pour ceux qui travaillent dans l'école ordinaire, l'école de base. Je vais peut-être paraître présomptueux, mais si, travaillant pourtant à l'ordre collégial, je me suis impliqué si fortement dans des questions qui concernent le primaire et le secondaire, c'est que j'avais l'ambition de renverser cette tendance. À l'école primaire de mon enfance, où une même classe regroupait une trentaine de fils de paysans basques de cinq niveaux différents, j'ai eu la chance d'avoir, très jeune, un maître qui a incarné, autant et souvent plus que ceux que j'ai connus par la suite, le passeur culturel, l'éveilleur d'esprit. Cette image est restée indélébile en moi. Vouloir que les programmes d'études puissent appeler l'exercice de tels rôles pour l'enseignant, à l'école de base elle-même, m'a donc toujours semblé naturel. Aussi j'ai travaillé à ce que quelques têtes de pont soient établies dans le nouveau programme d'études pour qu'il en soit davantage ainsi. Elles devront être consolidées, agrandies. Mais les dispositifs mis en place ne seront pas suffisants si la conscience de plus en plus affirmée de ces rôles et de ce qu'ils supposent n'est pas assurée et revendiquée par les enseignants eux-mêmes ou du moins par un nombre suffisant d'entre eux. C'est pourquoi ce livre s'adresse à eux. C'est un passage de relais. La suite est entre leurs mains.

Trouver l'idée directrice

Bien sûr, il est normal que vous soyez un peu perdu. Vous n'avez plus, me dites-vous, de repères dans le brouhaha qui actuellement entoure cette réforme de l'éducation pourtant en marche depuis dix ans. En effet, comment y voir clair ? Le ministère de l'Éducation lui-même devant les contestations auxquelles il a dû faire face semble avoir perdu le sens premier de ce qu'il entreprenait. Pour calmer les craintes des opposants, il ne parle plus de « réforme » pédagogique, mais de « renouveau » pédagogique. La pilule, pense-t-il, sera plus facile à avaler.

Revenir à l'essentiel :
une réforme des programmes d'études

Mais non, la réforme du curriculum d'études n'est pas d'abord une réforme ou un renouveau « pédagogique ». Cette réforme, ce renouveau si l'on préfère, est, comme d'ailleurs on la nommait tout au début, une réforme du programme d'études de l'école primaire et secondaire. Et en ne parlant jamais de cette réforme ainsi, en ne nommant pas ce qu'elle est d'abord, on se disperse, on s'épivarde dans des batailles secondaires, on manque l'essentiel. Sans doute, cette réforme touche aussi quelques éléments de la mise en œuvre des programmes d'études, ce qu'on appelle en jargon technique des éléments du « curriculum ». Sans doute aussi, ce nouveau programme d'études et certaines de ses dispositions posent, comme conséquence, le problème de la ou des pédagogies. J'y reviendrai, mais il faut d'abord s'en tenir à l'essentiel, et à l'essentiel de ce que, comme enseignant, vous faites d'abord dans votre classe : vous appliquez un programme d'études, vous enseignez la matière, comme on dit.

Aussi, avant ou au lieu d'écouter tous ces discours savants sur les théories d'apprentissage, ces discours qui invitent à se convertir en « changeant de paradigme », ces discours dont on vous rebat les oreilles et qui, vous me le dites, vous irritent, il faut d'abord lire, ligne à ligne, page à page, le nouveau programme d'études. D'abord celui de la ou des matières que l'on enseigne, mais pas seulement — car ce serait comme si, invité à jouer dans un orchestre, on se contentait de ne s'intéresser qu'à sa propre partition. Il faut lire ces textes, sans se laisser trop décourager par le langage des spécialistes des sciences de l'éducation que l'on rencontre ici ou là. Dans le secteur d'activité qui est le vôtre, comme dans tous les autres, le stock de jargon est renouvelé une ou deux fois par génération ! Mais il ne faut pas trop se laisser intimider : ces mots disent souvent des choses que l'on savait déjà mais que l'on disait autrement.

La possibilité de lire ces documents qui donnent les contenus du programme d'études établi par le ministère est nouvelle. Depuis la fin des années 1970, il n'existait plus d'annuaire présentant l'ensemble du programme d'études du primaire et du secondaire. On ne pouvait donc prendre connaissance des contenus du programme que par les manuels. Mais avant de les lire n'est-il pas normal que l'on se fasse d'abord une tête personnelle sur ces contenus ne serait-ce que pour voir en quoi ils changent ou non ce que l'on faisait déjà ? Ce que l'on voit dans ces documents, c'est ce que les élèves devront maîtriser dans les différentes matières (français, maths, sciences, arts, univers social…). Ce sont les contenus que les élèves devront, dans les différentes matières, apprendre, comprendre, être capables d'utiliser dans des contextes différents de ceux dans lesquels ils les ont appris, mais ce sont aussi des habiletés qu'ils devront développer. Il vous reviendra ensuite de déterminer le comment. Et peut-être, effectivement, pour atteindre ces objectifs vous serez appelé à changer quelques-unes de vos pratiques pédagogiques, mais peut-être pas non plus.

Ces contenus à maîtriser et ces habiletés qui constituent le programme d'études de notre école ne sont pas nécessairement ceux d'autres pays, ni ceux qui ont été appliqués à l'école québécoise par le passé. Le curriculum d'études de l'école obligatoire est un construit social, il représente ce qu'une société donnée, à un moment donné de son histoire, considère comme important de transmettre à ses enfants et à ses jeunes pour qu'ils puissent, mieux armés, affronter l'avenir. Les curriculums d'études sont ainsi un bon miroir de la manière dont, à un moment donné de son histoire, une société, une nation, se représente son avenir.

J'arrête ici un instant ce que je m'apprêtais à vous dire pour une petite précision de vocabulaire. J'utilise parfois les termes de « programme d'études » parfois ceux de « curriculum d'études ». Le vieux mot de « curriculum » est d'usage relativement récent. Auparavant on disait simplement « programme d'études » pour renvoyer aux contenus des matières qui constituent le programme de formation : français, mathématiques, sciences, etc. Quand on parle de « curriculum d'études », on parle, certes encore, des programmes d'études, de leur contenu, mais aussi d'éléments qui auront un effet sur l'application des programmes : le nombre d'heures consacrées à chaque matière, le degré d'élaboration du mode de présentation à l'enseignant de ce programme, la durée des étapes (cycles) de la progression, la nature et les formes d'évaluation, l'existence ou non du redoublement, l'importance donnée aux cours à option, etc. J'essaierai de réserver l'expression « programme d'études » aux contextes où il est question du contenu des matières ou disciplines du programme. Partout ailleurs, je m'en tiendrai à « curriculum d'études ». Mais il peut hélas arriver que je ne respecte pas cette règle ! J'espère que le contexte permettra alors de comprendre ce dont je parle.

Réformer le curriculum d'études,
pour quoi? pour qui? comment?

Il n'y a rien de tel qu'une petite remontée dans le temps pour prendre toute la mesure de cette idée simple mais abstraite, le curriculum d'études est un construit social. Alors que le groupe de travail de la réforme du curriculum d'études que je présidais essayait de s'entendre sur les perspectives et les orientations que nous devions privilégier pour le nouveau curriculum, Paul Vachon, haut fonctionnaire du ministère de l'Éducation et membre du groupe est sorti de la salle. Il est allé à la bibliothèque du ministère et nous a ramené un livre, au dos brisé. C'était le *Programme d'études des écoles élémentaires du Québec*, édition de 1959. Ce programme avait été établi entre 1943 et 1948 et la version de 1959, légèrement modifiée, n'était pas fondamentalement différente de la première. Un programme de sept années d'études. Un livre de sept cent cinquante pages : la moitié étaient consacrées au contenu d'enseignement religieux (quatre heures par semaine toutes les années), soixante-dix à celui du français — essentiellement à la lecture, l'analyse, la grammaire, l'orthographe et la rédaction (dix heures par semaine en première année, douze heures en troisième année, neuf heures en septième année et trente minutes de plus par semaine, les cinq premières années, pour l'écriture) —, autant de pages à l'arithmétique (cinq heures par semaine les quatre dernières années). Les autres matières étaient l'histoire du Canada, la géographie, la langue seconde, les bienséances, l'hygiène, l'enseignement ménager pour les filles, les travaux manuels pour les garçons, l'initiation à la musique, la culture physique, la calligraphie, le dessin, l'agriculture. Pas une fois le mot « science » n'apparaît, mais dans une matière intitulée « connaissances usuelles » on parle des fleurs, des animaux, des « oiseaux, nos amis », des astres, des maisons d'autrefois et d'aujourd'hui, du cheval et de l'auto, du papier et du caoutchouc... La dernière matière du programme concernait des « renseignements sur les écoles et les professions ». Ces renseignements étaient donnés à la septième année, année charnière d'orientation du temps. Les

« états de vie » qui attendaient le jeune se déclinaient selon qu'il était garçon ou fille. Garçon, il avait le choix entre la vie sacerdotale, la vie religieuse ou la vie laïque. Fille, son choix était plus limité, seules la vie religieuse ou la vie laïque s'offraient à elle, mais dans ce cours, elle avait droit à une attention particulière, on l'instruisait sur la « vocation naturelle de la femme » et sur son « rôle propre ».

Cela se passe de commentaires. Depuis, j'ai pu me procurer un exemplaire de ce livre. Il était comme neuf, il n'avait jamais servi, il dormait sur l'étagère d'une école. Chaque fois que j'ai eu l'occasion de le présenter à des assemblées d'enseignants, il déclenche un rire général. Mais c'est un rire un peu gêné, car il y a chaque fois dans la salle des personnes qui ont connu l'école où l'on enseignait ce programme. Alors, dans un raccourci qui produit chez elles un effet de vertige, elles voient la marche du temps et ses grandes enjambées, dans leur vie, dans la vie du Québec. Et pourtant au jour le jour, on ne se voyait pas changer, on ne voyait pas les choses changer ! Et pour les jeunes de nos écoles qui auront à vivre dans le monde qui vient, quel est le meilleur viatique qu'il faudrait leur transmettre, celui des programmes établis dans les années 1960-1970 et qui, s'ils étaient maintenus au seuil de l'an 2000, paraî-traient, plus tard, aussi décalés par rapport à leur époque que les programmes encore enseignés en 1959 l'étaient par rapport à la leur, celle d'une révolution tranquille déjà en marche et qui allait exploser dans la décennie suivante ? J'ai souvent constaté que c'étaient les enseignants qui, élèves, ont connu l'école de base d'avant la révolution tranquille, comprennent le mieux la nécessité pour une collectivité de revoir de temps à autre le programme d'études proposé aux enfants et aux jeunes, même si, en fin de carrière, les changements qui leur sont demandés exigent d'eux un investis-sement personnel important.

Mais je reviens à ce moment où nous nous passions entre nous ce livre que Paul Vachon était allé nous chercher. Soudain, les discussions, qui traînaient un peu depuis le matin, sur la manière d'accomplir la mission qui nous était confiée prirent sens. Et je sentis, je sentis physiquement, dans l'atmosphère qui venait de changer dans la salle, la cohésion du groupe. Vous connaissez ces moments, peut-être rares mais si intenses de l'exercice de votre métier, qui à eux seuls peuvent justifier une existence, ces moments où vous sentez dans votre corps, et parfois dans votre dos parce que vous êtes au tableau, toute votre classe vous suivre, vous suivre ensemble et à un moment donné s'épanouir parce que soudain elle comprend. Il en fut de même pour nous ce jour-là. Nous comprenions ensemble ce que nous avions à faire.

Si le curriculum d'études est un construit social, il ne doit pas être seulement le résultat d'un travail d'experts, ce qu'il a été trop souvent. Or, depuis près de dix ans, ce dossier était débattu au sein du Conseil supérieur de l'éducation, dans des groupes de travail, dans les médias et il venait d'être travaillé par les états généraux sur l'éducation, la plus grande entreprise de participation sur l'éducation de l'histoire du Québec. Il y avait donc eu, pour la première fois, une intervention de tous les acteurs sociaux sur cette question. Ce qui n'est pas rien. Nous avions donc à tenir compte de ce fait et de tout le travail déjà réalisé. Notre rôle devait en conséquence s'apparenter davantage à celui de l'accoucheur qu'à celui du concepteur.

Le programme de 1959 illustre le décalage qui s'établit entre un programme d'études et la société en marche pour laquelle il est censé former et c'est la conscience de ce décalage qui avait fourni à la même époque au Frère Untel l'encre dans laquelle il a trempé la plume de ses *Insolences*. Or cette préoccupation du monde pour lequel l'école doit former avait particulièrement inspiré les travaux du comité Corbo, qui devait déterminer les profils de formation que l'école doit atteindre à la fin du primaire et du secondaire. C'est en fonction d'une représentation du monde à venir tel qu'il le perçoit que ce rapport propose des orientations nouvelles dans les rôles de l'école et dans les matières du programme d'études. D'ailleurs, dix ans après, cette description tient toujours la route, plus que jamais, pourrais-je dire. Ce qui n'était alors qu'entrevu est là, maintenant, manifeste sous nos yeux. C'est pourquoi il faut relire ce texte. C'est pour vivre et agir dans ce monde que le programme d'études devait être réorienté. Ce travail de projection de l'avenir étant fait, nous devions dans notre groupe de travail poursuivre dans la même voie, nous placer dans la même perspective que le comité Corbo. D'ailleurs, l'adhésion que le contenu de ce rapport avait recueillie lors des états généraux confirmait encore plus à nos yeux ces orientations. Une société, une nation ne se construit que par l'idée qu'elle se fait de son avenir. De même les programmes d'études de l'école.

Si, rétrospectivement, le contenu du programme de 1959 nous paraissait désuet, il n'avait pas cependant empêché des milliers et des milliers de Québécois passés par cette école de réaliser le développement économique, social, culturel tonitruant de la Révolution tranquille. Le « collège classique » du temps, le collège des « élites », ne pouvait à lui seul expliquer ce résultat. Il devait bien aussi y avoir quelques vertus dans cette école qui de nos jours paraît si désuète, des vertus que produit toute école qui, au-delà des contenus qu'elle transmet, se préoccupe aussi d'éveiller et de former les esprits. Certes, cette école du passé, caricaturée souvent, privilégiait la mémoire, mais non exclusivement. Et la préface d'une vingtaine de pages de ce livre et les principes pédagogiques rappelés au début de la présentation de chaque matière montrent bien les habiletés générales que l'enseignant du temps était invité à stimuler chez les élèves. Si nous voulions établir les bases d'un nouveau curriculum d'études, nous ne pouvions donc pas éluder cette question, quitte à répéter ce que les traditions d'éducation ont privilégié en matière de formation de l'esprit. Mais peut-être aussi que, dans la conjoncture de notre époque, certaines de ces habiletés méritaient plus d'attention que d'autres. Et il nous faudrait alors choisir notre camp.

Les sourires qu'avait provoqués le contenu de ce programme élaboré cinquante ans plus tôt nous rendaient à la fois modestes et déterminés. Dans cinquante ans, on rirait aussi du programme d'études qui naîtrait de nos travaux, celui que vous avez entre vos mains ! C'est à ce moment que m'est venue cette formule que je répète depuis souvent : « Réformer, ce n'est jamais remplacer un système imparfait par un système parfait, réformer c'est changer des éléments d'un système pour qu'il s'ajuste mieux aux nouvelles réalités à affronter. » Le système que l'on veut réformer était, au moment où il a été établi, une réponse adaptée. Il arrive qu'il ne le soit plus. Il faut donc le réformer. Mais la nouvelle réforme sera, elle aussi, un jour, réformée. Ainsi va la vie, en tout cas la vie des institutions qui modèlent nos vies. Le curriculum d'études de l'école obligatoire est une institution de ce type, il détermine ce que, pendant une génération, les enfants et les jeunes vont apprendre à l'école. Et ce n'est pas rien. Aussi, quand vous prenez conscience de ce fait et avez la responsabilité de proposer les orientations d'un nouveau curriculum, un poids vous tombe sur les épaules. C'est ce que le groupe de travail a senti ce jour-là. Mais ce même jour, c'était un jour lumineux de février, j'ai senti aussi s'éveiller entre nous la ferveur.

Renouveler les programmes, mais selon quelle perspective?

Il ne nous revenait pas d'établir les contenus détaillés des matières du programme d'études, mais de proposer la place que les différentes matières devraient y occuper. C'était l'attente des enseignants : quelle place ma matière aura-t-elle dans la « grille matière »? Faire ce travail, qui paraissait impossible à plusieurs, fut tout compte fait facile pour nous. Le terrain était ravagé depuis des années par les lobbys disciplinaires et les batailles de territoire, mais les attentes qu'avaient mises en relief les états généraux sur l'éducation rendaient ces combats de ruelle bien dérisoires. Ces états généraux qui concluaient dix ans de débats sur ces questions avaient balisé notre travail. Au-delà d'une proposition de « grille matière » nouvelle, il nous fallait donc proposer pour le nouveau programme d'études des orientations qui tiennent compte de ces recommandations. Il fallait entre autres que la fonction cognitive de l'école soit renforcée et que les lacunes du curriculum d'études diagnostiquées depuis plusieurs années soient corrigées. Nous l'avons fait et peut-être que, dans d'autres lettres, je vous parlerai de ces choses.

Mais cela ne nous parut pas suffisant. Les concepteurs des différentes matières du programme devaient, pensions-nous, avoir une orientation. La conception du contenu d'un programme obéit à des considérations diverses : le noyau de connaissances à assurer, leur progression pour tenir compte à la fois de ce que nous apprend la didactique de la matière et des stades de développement de l'élève, les traditions scolaires de l'enseignement de cette discipline, les nouvelles tendances en émergence. Si les concepteurs de programmes d'études sont laissés à eux-mêmes, seuls ces aspects sont pris en compte. Mais dans les faits, de façon consciente ou inconsciente, l'architecture générale d'un programme d'études obéit à une logique : quelle était celle que nous devions proposer pour le nouveau programme ? Celle qu'il nous fallait changer avait donné priorité à la formation intégrale de la personne ; nous avons proposé que ce soit une perspective culturelle qui oriente le nouveau programme.

Dans les débats actuels, ce point n'apparaît jamais. Or, celui qui doit appliquer le programme dans sa classe a le droit de savoir, et de savoir avant toute chose, les raisons qui ont motivé les changements mais aussi la perspective qui a présidé à l'élaboration de ce qu'il doit appliquer. C'est cela qui lui permettra de mieux se situer dans les rôles qu'on attend de lui et éclairera à ses yeux bien des choses qu'on lui demande de mettre en pratique. Les orientations de ce programme ont été établies en ayant présent à l'esprit que l'école est un lieu de transmission, peut-être même dans la société actuelle le seul lieu structuré de transmission, et que cette transmission a pour but d'introduire les élèves dans le monde de la culture. Le monde qui est là devant eux, dans lequel il leur faudra vivre et agir, et qu'ils devront à leur tour transformer, n'est pas le monde de la nature, c'est le monde de la culture, c'est le monde de la langue et des langages, du nombre et de la science, des arts et de la technique, du travail et des institutions, un monde, résultat des productions passées. L'école, notamment par son programme d'études, doit les introduire dans ce monde.

Avoir une telle conception du programme d'études n'est pas sans conséquences. Ainsi, le contenu des différentes matières du programme d'études ne peut être négligé puisqu'il a été choisi en vue d'introduire au monde actuel de la culture. Ainsi, la perspective historique doit être présente dans toutes les matières du programme puisque ce que l'on transmet a été élaboré dans le passé et ne pas en parler conduit à les présenter comme des choses intemporelles, venant d'on ne sait où, et qu'en agissant ainsi on leur enlève de fait leur caractère culturel, c'est-à-dire celui de réponse à une situation. Ainsi, les différentes matières du programme doivent permettre à l'élève de s'insérer dans ce monde et il doit voir comment elles l'aident à le faire. Ainsi, dans cette perspective, comme enseignant, on ne doit pas se voir seulement comme un pédagogue, c'est-à-dire comme celui qui conduit l'enfant à la connaissance, mais aussi comme un passeur culturel, celui qui le conduit d'un monde à un autre, celui qui l'introduit dans le monde de la culture. Or tout cela, qui n'est pas rien, et j'aurai l'occasion d'y revenir, n'était pas mis en évidence dans le programme d'études précédent. Il y avait dans les milieux de l'éducation une gêne et parfois même une résistance à voir ainsi le rôle de l'école.

Privilégier la perspective culturelle

Deux principes ont guidé les propositions de réorganisation du programme d'études : contrer la logique de segmentation, de cloisonnement, qui avait présidé à la mise en œuvre du programme d'études et insuffler à celui-ci une perspective culturelle qui en éclaire le sens. Mais si on me demandait quel est l'aspect le plus important, le plus novateur du renouveau proposé pour le programme d'études de l'école québécoise, c'est sans hésitation celui de l'introduction de la perspective culturelle que je choisirais. La tendance à la segmentation qu'il fallait corriger était bien connue et y remédier était une affaire de spécialistes du curriculum. La perspective culturelle qu'il fallait instaurer était, elle, moins documentée. C'est progressivement, par tâtonnement, que cette idée a émergé, puis s'est imposée et elle touche, non pas la machinerie, mais plus profondément le domaine de l'*ethos*, celui des valeurs sur lesquelles une société fonde l'école.

Membre du Conseil supérieur de l'éducation, membre du comité Corbo, commissaire aux états généraux sur l'éducation, j'ai eu toutes ces années l'occasion de m'intéresser au programme d'études et de réfléchir aux améliorations qu'il faudrait lui apporter. Mais, rétrospectivement, je constate que, un mois après les états généraux, ma tête sur cette question était faite. Invité à prononcer une conférence devant des professionnels et des enseignants du secondaire, je l'avais intitulée « Les états généraux sur l'éducation et après… » et j'avais abordé un des chantiers ouverts par ces états généraux, celui de la réforme des programmes d'études. J'ignorais évidemment alors que trois mois plus tard je présiderais le groupe de travail appelé à proposer une réforme des programmes d'études. Et pourtant voici la conclusion de cette conférence. « Le message que l'école doit transmettre aux jeunes par ses programmes est le suivant : À l'école, vous allez devenir plus humains. Le monde dans lequel vous vivez est le résultat des productions et des créations de l'homme. Ces productions, du moins les plus significatives, vous devez les connaître, car en vous montrant l'humanité en action, elles vous montrent ce que nous sommes, ce que vous êtes, des êtres entreprenants, inventifs, solidaires, toujours en quête d'autre chose. Vous devez connaître ces productions, car cette connaissance vous permettra de mieux comprendre le monde où vous vivez. Et ainsi vous y vivrez davantage en homme, c'est-à-dire en êtres libres. Armés de ces connaissances, vous ne subirez pas entièrement ce monde, vous pourrez l'aborder avec l'optimisme et le calme que permet sa maîtrise. Et c'est pourquoi, à l'école, vous faites du français, des mathématiques, des sciences, de l'anglais, des sciences humaines, des arts, etc. Ces matières vous introduisent aux productions qui sont le propre de l'homme et elles vous permettent de mieux dominer les situations que vous aurez à vivre. Le monde où nous vivons n'est pas naturel, il est construit par les hommes, mais vous aussi, vous êtes humains et, à votre tour, vous devrez, vous pourrez parfaire sa construction. Chaque génération doit apporter sa part dans cette entreprise. Vous pouvez, vous aussi, transformer le monde où vous arrivez. D'autres, avant vous, l'ont fait en leur temps. Aussi à l'école, on développera chez vous ces instruments sans lesquels il vous sera difficile de participer à cette construction. Ces instruments sont la raison, l'imagination, l'esprit critique, mais aussi l'ouverture du cœur qui vivifie l'intelligence. »

Je ne m'étais pas perdu dans les problèmes de curriculum à réajuster ou à réformer. J'étais allé au cœur du redressement qui devait, me semblait-il, inspirer la réforme des programmes d'études. Pour que les études aient un sens pour les élèves, pour que l'école remplisse son rôle de transmission, pour que, enseignant, vous puissiez exercer un rôle de passeur culturel, il faut que ces études et ces programmes soient envisagés résolument et explicitement dans une perspective culturelle. J'ai réussi à convaincre de cette idée le groupe de travail que je présidais. Il n'avait pas pourtant eu, lui, l'occasion de faire tout le chemin par lequel j'étais passé pour arriver à cette intime conviction. Et je remercierai toujours les membres de ce groupe de m'avoir suivi jusque-là.

Cependant cette idée que j'affirmais dans cette conférence avec une telle assurance n'est pas venue, comme cela, d'un coup, comme une illumination. Elle n'était pas chez moi clairement présente au début de mon intérêt pour les programmes d'études. C'est une idée qui s'est forgée progressivement, comme une évidence incontournable qui s'impose à vous. Je dis progressivement, mais à la vérité ce « progrès » s'est fait à coups de tâtonnements, de doutes et de reculs, tout autant que d'évidences.

Même si cela à l'air de nous éloigner de notre propos, et de vous faire perdre du temps, je vous raconterai, dans ma prochaine lettre, comment cette idée a poussé chez moi comme dans une broussaille. Je m'attarderai un peu à reconstituer, dans leur épaisseur, ces moments de brume où l'on avance à tâtons. Cette brume s'est peu à peu dissipée, mais, au moment des doutes, elle nimbait les objets et rendait difficile le choix des chemins à emprunter. Ce récit vous permettra aussi, je crois, de mieux saisir les enjeux de l'orientation choisie et d'entrevoir comment s'opèrent les mouvements de réforme.

LETTRE II
Une idée dans la broussaille

Encore adolescent, j'avais fait des *Propos* d'Alain une de mes lectures de chevet. Plus tard, un de mes professeurs à l'université fut Jean Château, un élève du philosophe. Cela renforça chez moi une pratique que j'avais commencée bien avant de le connaître et je l'ai continuée par la suite pendant plusieurs années. Aussi, comme entrée en matière de mon propos, je vous transcris un extrait du livre d'Alain. Il vient de relire *Sur l'origine des espèces* et la manière dont Darwin raconte comment il a élaboré sa théorie lors de son voyage le long de la côte de l'Amérique du Sud lui suggère cette réflexion : « Il ne faut pas croire qu'une idée vraie reste vraie toute seule, sans secours humain. C'est par les doutes, les tâtonnements, les tours et les retours de l'observation que l'on fait vivre une idée. Par le dogmatisme de ceux qui l'enseignent, au contraire, elle perd tout son feuillage[1]. »

Il en fut de même pour cette idée : la perspective culturelle doit marquer les orientations du programme d'études. À un certain moment, ce choix d'orientation m'a paru évident, nécessaire même. C'est la relecture de Fernand Dumont qui m'en a convaincu. Mais avant d'arriver à l'idée dans la lumière, je vous raconterai l'idée dans la broussaille.

---

1. Alain, « Magie de Darwin », 15 mai 1912, *Propos*, Paris, Gallimard, « Bibliothèque de la Pléiade », 1978, p. 129.

Travaillant au niveau des collèges, j'étais familier des questions concernant la présence d'éléments culturels dans les programmes d'études. Le cégep, collège d'enseignement général et professionnel, modèle hybride d'enseignement préuniversitaire et d'enseignement technique, avait été voulu par le rapport Parent pour réaliser un rapprochement, sinon un amalgame, entre une formation à visée culturelle et une formation à visée pratique. Mais je ne m'étais pas soucié de cette question dans l'enseignement primaire et secondaire, sinon comme père. J'avais, chaque année, à défaut du programme officiel, inaccessible pour moi, regardé les manuels de mes enfants. Ces programmes d'études souffraient manifestement d'anémie culturelle. L'enseignement des arts y était certes présent, mais c'était un enseignement centré uniquement sur la création et l'initiation aux langages et aux techniques. L'élève était très peu mis en contact avec des œuvres, passées et contemporaines, et on ne lui donnait pas les clefs pour les comprendre. Bref, on avait là un enseignement des arts sans perspective culturelle. De même, pour l'histoire. On se concentrait sur les événements politiques, beaucoup moins sur les réalisations, les modes de vie, les institutions qui caractérisent une époque. Quant aux autres matières, seul leur aspect instrumental était mis en relief. C'étaient des choses qu'il fallait apprendre parce qu'on en avait besoin dans la vie ou pour les études ultérieures. Mais ces notions mathématiques ou scientifiques, d'où venaient-elles ? Elles semblaient être nées, toutes déjà armées et parfaites, de la tête de Jupiter. Pour pallier ce manque d'épaisseur d'un programme d'études réduit à sa seule fonction instrumentale, l'école ne semblait compter que sur les parents qui devaient en somme combler ce déficit de perspective culturelle chez leurs enfants.

Or, un jour de 1991, un colloque sur l'enseignement des sciences est organisé dans mon collège par les professeurs de sciences et de mathématiques. Il devait réunir des professeurs du réseau collégial. Jusqu'au dernier moment, les organisateurs pensaient avoir comme conférencier d'ouverture ou la ministre ou son sous-ministre. Une semaine avant l'événement, ils me demandent de les remplacer. Je ne me résignai pas à prononcer un discours de bienvenue de pure forme et je décidai de livrer ce que j'avais intitulé « Quelques réflexions sur la formation scientifique dans les écoles et les collèges ». Ces réflexions sont celles d'un père qui a observé la formation scientifique de ses enfants et qui la compare à celle qu'il a eue lui-même. Voici un passage de la conférence : « Sans transformer vos cours en histoire des sciences, vous pouvez à certains moments montrer à vos élèves la science en œuvre. Ces moments sont aussi importants que des travaux de laboratoire. Redécouvrir ces traces d'une science qui se constitue, c'est réveiller la mémoire. »

Ce jour-là, l'occasion m'a poussé à exprimer publiquement mon jugement sur une des faiblesses du programme d'études de notre école, l'absence de perspective culturelle, et à illustrer concrètement ce que pourrait être un enseignement des sciences intégrant une telle perspective. Je ne le savais pas alors, mais cette question ne devait plus cesser de m'occuper pendant des années.

L'approche culturelle des programmes, contrepoids à leur approche immédiatement utilitaire

Deux jours avant l'annonce officielle de la constitution du comité des sages (le comité Corbo), le ministre Jacques Gagnon me demande de m'y joindre. L'universitaire pressenti serait en Europe durant une partie des travaux du comité, les élections approchent, le comité n'a que cinquante jours pour remettre un rapport, il faut trouver un remplaçant. Sachant qui est le président du comité, sa qualité, son efficacité, j'accepte.

La mission confiée au comité, « établir des profils de formation », pouvait être interprétée comme une reproduction de ce qui se passait alors aux États-Unis, le mouvement de retour à l'essentiel. Une école qui s'était dispersée dans trop de matières était considérée comme la cause d'une économie déficiente. L'air du temps reprenait aussi chez nous cette antienne. Le Conference Board du Canada et le Forum entreprises-universités étaient actifs dans ce débat. Les compétences de base que l'école devait transmettre étaient des compétences élémentaires, à visée immédiatement utilitaire :

calculer, lire, écrire avec une connaissance minimale de l'orthographe et de la syntaxe, laissant pour plus tard, pour ceux qui continueront des études, les matières et les perspectives qui n'ont pas de caractère instrumental. Et les Américains allaient même jusqu'à établir dans des lois les connaissances et les compétences requises d'un élève au terme du secondaire. Proposerions-nous la même chose ?

Je m'attendais évidemment que cette vision serait proposée dès le début par l'un ou par l'autre. Or, même si elle était à la mode, elle n'avait à mes yeux, ni aux yeux de quelques autres membres du groupe, aucune chance d'être gage de transformation de l'école chez nous. Au début, les discussions furent vives et difficiles. Puis, tout s'éclaira. Les consensus se dégagèrent quand nous nous entendîmes sur ce que nous pensions que serait le monde pour lequel il fallait que l'école prépare les enfants et les jeunes. Ce n'est pas pour rien que notre rapport est intitulé *Préparer les jeunes au vingt et unième siècle*. Pour préparer les jeunes à vivre dans une société plus complexe, les programmes pouvaient-ils être réduits à un apprentissage élémentaire ? Ne devaient-ils pas, au contraire, être enrichis, et pas seulement pour les meilleurs, mais pour tous ? Au bout de cet exercice, notre accord fut facile. Dans le contexte qu'auront à vivre nos enfants et nos jeunes, le rôle de formation de l'école doit être bien plus large que celui de la réponse aux demandes du monde économique. Aussi un des cinq rôles que nous assignions à l'école est d'« Initier et introduire au monde de la culture ». Je sortis de l'expérience de ce comité avec une conviction : la présence d'éléments culturels dans les programmes d'études était le contrepoids indispensable à une approche qui ne serait qu'instrumentale.

À la publication du rapport, cette idée est passée totalement inaperçue. Un des autres rôles de l'école, celui d'une école qui instruit attirait davantage l'attention. Et l'éditorial du *Devoir*, « Un élégant naufrage », semble donner le coup de grâce au rapport Corbo. Lise Bissonnette — une alliée, pensions-nous —, irritée, à juste titre, par la forme des énoncés des profils de formation, n'a pas vu les éléments culturels qui y avaient été introduits. Déception. Heureusement que le Conseil supérieur de l'éducation sort quelques jours après un avis, *Rénover le curriculum du primaire et du secondaire*, qui signale lui aussi les lacunes du curriculum d'études d'alors en matière de perspective culturelle et tient des propos analogues aux nôtres. Un peu de baume sur nos blessures. Mais le rapport Corbo, conçu et écrit pour être objet de consultation, fera quand même son bonhomme de chemin. Je le considère toujours comme celui qui, le tout premier, a placé les pierres d'angle de la réforme du programme d'études. D'ailleurs, certaines de ses idées seront reprises quelques mois plus tard par des participants aux états généraux sur l'éducation. Car la donne pour débattre de ce rapport a changé. Les élections ont eu lieu. Un nouveau gouvernement est élu. Il décide d'ouvrir davantage le jeu en organisant de telles assises sur l'éducation. Au lieu d'une simple consultation sur cet unique document, tout est désormais mis sur la table. Le grand jeu de la relation entre la culture et les programmes d'études de l'école va pouvoir commencer. J'aurai l'occasion d'y participer puisque je serai un des quatorze commissaires des états généraux.

Plus de cours d'art ou la présence d'éléments culturels dans tous les programmes?

La première phase de ce jeu est pour moi celle de l'observation. Lors des audiences, les interventions des groupes sur le programme d'études portent essentiellement sur la place à réserver à telle ou telle discipline dans le programme d'études et, par « place », il faut entendre le nombre d'heures de cours par semaine. Quelques-uns veulent ajouter des matières nouvelles, d'autres conserver la leur, d'autres encore augmenter leur espace dans la « grille matière ». Les promoteurs de deux disciplines, l'éducation physique et les arts, sont particulièrement insistants et organisés. Il y a dans l'air une demande générale d'augmentation du temps pour le primaire. Qui en profitera?

　　Au cours des audiences, divers intervenants des milieux culturels, notamment les artistes, demandent que la perspective culturelle soit améliorée dans les programmes en donnant plus de place à l'enseignement des arts, de la littérature, de l'histoire politique. Au même moment, Jacques Parizeau, premier ministre, mais qui alors assume aussi la responsabilité du ministère de la Culture et des Communications, adresse une lettre à Jean Garon, ministre de l'Éducation. Sa lettre, dit-il, traduit le point de vue de son ministère : trop peu de place est faite dans les programmes d'études aux matières culturelles. La lettre est transmise aux commissaires. Elle a évidemment du poids.

Au cours des audiences, j'ai l'intime conviction qu'un groupe de pression est en action pour faire augmenter, en termes d'heures, la place des arts dans le curriculum d'études, que tout le monde n'associe le mot « culture » qu'aux arts et que la promotion d'une présence accrue de la « culture » dans les programmes de formation n'est pas sans rapport avec une fréquentation insuffisante des équipements culturels. Il faut donc désenclaver cette question, la faire sortir d'une simple lutte pour conquérir plus d'espace et l'amener à un autre niveau, celui de la manière dont l'école, notamment par son programme d'études, pourrait être un « bouillon de culture ». Les intervenants du milieu culturel, probablement fidèles dominicaux de l'émission de Pivot, utilisaient sans arrêt l'expression. Mais comment y arriver ?

Au terme de la première phase des états généraux, celle des audiences, il avait été convenu entre commissaires que l'exposé de situation que nous rédigerions devrait tout d'abord rendre compte le plus honnêtement possible de ce que nous avions entendu. Puis nous soulignerions quelques éléments pouvant éclairer les débats entre les différentes positions. Enfin, par des questions, nous relancerions les discussions qui auraient lieu lors des forums et les conférences régionales. Parmi les questions concernant le curriculum d'études, une va porter sur la perspective culturelle : « Êtes-vous d'avis qu'il faudrait accorder plus de place aux disciplines pouvant servir de fondement à un enrichissement culturel du curriculum ? Quelles seraient ces disciplines ? »

Mais le sujet ne lève pas. Le résultat des forums est indécis. On n'est pas contre un enrichissement culturel du curriculum, comme on n'est pas contre la vertu, mais le discours prosaïquement utilitaire sur le curriculum a plus de porte-parole convaincus. Quant aux disciplines qui y concourraient, on cite toujours les mêmes : arts, littérature, histoire politique. Rien sur les mathématiques, les sciences et les techniques, l'univers social, la géographie, par exemple. L'enrichissement culturel du curriculum est plus nettement revendiqué dans les conférences régionales, mais on n'avance guère au niveau des moyens. On a beau se dire que cette lenteur est le lot de la démocratie participative, je n'en trouvais pas moins la situation frustrante. Or, sur ces entrefaites, Robert Bisaillon, le président de la commission des états généraux, me demande de le remplacer à une rencontre avec des responsables du ministère de la Culture et des Communications.

C'est un 19 mars. De la neige de printemps est tombée la veille. Elle est encore toute propre et le soleil est éclatant. La rencontre a lieu au Musée des beaux-arts de Montréal. Une cinquantaine de cadres et professionnels travaillant en région s'y rencontrent. Je dois m'adresser à eux au cours du repas. Ils désirent savoir ce qui s'est dit lors des audiences sur les relations entre école et culture. Mais peut-être aussi désirent-ils, à travers mes propos, décoder ce que les commissaires pensent sur cette question. Je décide de ne pas me laisser enfermer dans le rôle attendu, de parler à titre personnel et de crever l'abcès. J'ai conservé les notes de ce que j'y ai dit. Rétrospectivement, je constate que mes idées devenaient de plus en plus claires. Voici l'essentiel de mes propos.

« Pour qu'il puisse y avoir partenariat entre l'école et les milieux de la culture, l'école devrait être elle-même un " bouillon de culture ". Or elle ne l'est pas. Pour corriger ou éviter la perspective utilitaire du programme d'études, on lui a fixé comme finalité la formation intégrale, l'épanouissement de la personne. On a dans cette logique orienté l'enseignement des arts vers l'expression personnelle. Or un enseignement des arts, réduit à ce seul aspect, n'est pas culturel parce qu'il ne vise pas à mettre aussi en contact avec les œuvres actuelles et passées. Pour que l'école soit le " bouillon culturel " souhaité, il faut être convaincu que ce qui s'enseigne dans une école ce sont des œuvres culturelles, les arts, certes ou la langue ou l'histoire, mais aussi les sciences et les techniques ou l'univers social. Il faut dans l'enseignement de ces matières ne pas négliger les perspectives historiques qui montrent bien leur caractère de production sociale.

« Responsables des milieux culturels, leur disais-je, vous savez que l'offre y dépasse la demande. Ces trente dernières années, les politiques culturelles d'équipements et de soutien à la création ont bâti un réseau consistant d'offre, mais il n'y a pas assez de clients pour justifier ces investissements. D'autant plus que les clients potentiels sont sollicités par les " industries culturelles " de masse (télévision, canaux spécialisés, industrie du disque, du spectacle, du divertissement et bientôt les nouvelles technologies de l'information). Face à ces médias puissants, l'attraction des « institutions culturelles » dont vous vous occupez (musées, théâtres, bibliothèques, orchestres…) ne fait pas le poids et le temps qu'on peut consacrer aux activités culturelles n'a pas lui suivi l'augmentation de l'offre. Devant cet état de choses, vous vous tournez vers l'école, vous lui reprochez de n'être pas assez culturelle et, vous abritant derrière le rapport Rioux, vous traduisez votre demande d'augmentation de la culture par la seule augmentation du nombre d'heures consacrées aux arts.

« Il est normal que vous vous préoccupiez du renouvellement du public qui fréquente vos institutions culturelles. Comment le public jeune peut-il être introduit à ces manifestations de la culture et comment développer chez lui le besoin de continuer à les fréquenter ? C'est cela la vraie question. Or, je prétends que l'enseignement des arts, tel que pratiqué actuellement à l'école, ne développe pas nécessairement ce goût, car cet enseignement est exclusivement centré sur l'expression de soi et la maîtrise de la technique qui permettront aux jeunes d'être des « producteurs » d'œuvres. Cela est louable et doit être fait, mais la majorité d'entre eux ne seront pas des " producteurs " mais ils peuvent, ils devraient même être tous des " consommateurs " de productions culturelles : livres, danse, architecture, théâtre, musique, peinture… Or c'est par l'expérience du contact avec l'œuvre esthétique forte que se développe à ces âges un goût qui s'avère souvent irréversible. L'expérience du contact avec l'œuvre esthétique forte, c'est le ravissement : on est alors comme arraché à ce monde et introduit dans un autre monde. Ce sont de telles expériences de contact avec des œuvres qui doivent être recherchées pour les jeunes. Vous avez là d'ailleurs un terrain extraordinaire de collaboration possible avec l'école. Et l'intérêt que l'on portera à la science, aux mathématiques, aux techniques, aux institutions sociales, aux modes de vie… comme productions humaines diffusera sur l'intérêt porté aux productions artistiques. Mais pour que cela soit vraiment possible, c'est l'ensemble des matières enseignées à l'école, et donc aussi les arts, qui doivent intégrer une perspective culturelle. »

Il devait y avoir une certaine force de conviction dans mes paroles, je sentis l'auditoire gagné. Mais seraient-ce des alliés ? En tout cas, à la sortie, en marchant au soleil, rue Sherbrooke, je constatais que l'idée de ce que pourrait être le renforcement de la perspective culturelle dans les programmes s'était pour moi clarifiée. La confrontation avec une position différente de la mienne et la rencontre avec des personnes qui la soutenaient m'avaient rendu ce service. Il ne me restait plus qu'à rallier les collègues commissaires à ces vues.

La proposition

Le rapport final des états généraux devait sortir impérativement fin septembre. Or la conférence nationale devant clore cet événement ne pouvait avoir lieu qu'au début septembre. Nous n'aurions donc que dix jours pour rédiger et accepter le rapport final. Pour faire face à un tel échéancier, les commissaires avaient été invités par le président à rédiger durant l'été des textes sur les problématiques de l'une ou l'autre question en débat. J'en rédigeai un sur les savoirs que l'école doit transmettre et que le titre résumait ainsi : « L'école a été instituée pour rendre les enfants des hommes libres, aussi elle ne pourrait atteindre cette fin si les savoirs essentiels qu'elle doit assurer ne sont pas présentés dans une perspective culturelle. » J'y développais les idées que vous connaissez maintenant : matières scolaires et productions culturelles, curriculum d'études et transmission culturelle, perspective culturelle contrepoids à la perspective immédiatement utilitaire, présence de la perspective culturelle dans chacun des grands champs d'apprentissage du curriculum : langue, sciences, univers social, etc. Et pour chacun de ces grands champs d'apprentissage, j'esquisse la manière dont on peut y intégrer la perspective culturelle.

Accueil poli. Les commissaires ne semblent pas en désaccord avec cette orientation. Mais y a-t-il accord pour s'engager ? En tout cas pour la plupart des commissaires, s'il y a accord, il est discret. Ils pensent qu'il faut réagir à la perspective purement utilitaire d'un programme d'études, mais la perspective culturelle est-elle le bon antidote ? De toute façon, ils ne pensent pas que le rapport final doive aller jusqu'au degré d'explicitation des savoirs du programme d'études, tel que présenté dans ce texte, les autres thèmes abordés dans le rapport final n'y allant pas non plus. Je crains qu'une for-mulation trop générale comme « augmenter l'approche culturelle » reste creuse si nous ne faisons pas voir concrètement le virage vers une formation plus riche et plus exigeante que nous souhaitons et en la montrant en œuvre pour chacun des domaines d'appren-tissage retenus. Mais je ne suis pas en position favorable pour faire prévaloir mon point de vue. Personne ne reprend fermement ma proposition, et puis le temps est court et la discussion sur d'autres sujets, autrement conflictuels, nous attend. J'accepte de bonne grâce le point de vue de mes collègues. De toute façon, je suis sûr que le rapport final dira l'essentiel.

Le doute

Mais alors un doute s'installe en moi. Et si je n'avais pas raison ? Et si ce type d'école n'était qu'une école, d'ailleurs, d'un autre pays, celle que j'ai connue, dès le primaire, dans mon enfance ? Et si elle n'était pas viable au Québec ? Et si l'adhésion molle que suscitait cette proposition venait de ce qu'elle éveillait un collège classique dont on avait voulu sortir et qu'on ne voulait pas reproduire ? Et si on ne voyait une telle école que pour les meilleurs et que l'école pour tous que l'on voulait ne devait pas trop dépasser le plus bas dénominateur commun ? Et si l'école pour tous ne pouvait s'accommoder d'un enseignement plus exigeant ? Et si la perspective que je défendais allait accentuer la ségrégation des écoles contre laquelle j'étais ? Et si on pensait que les enseignants du primaire et du secondaire n'étaient pas capables d'un tel type d'enseignement ? Ces choses ne se sont pas dites franchement à la table des commissaires lors de la discussion sur cette question. Mais elles étaient déjà là, continuellement présentes durant tous les états généraux, lors des audiences, des forums, des conférences régionales, et aussi à notre table. Nos points de vue différaient sur ces questions et ces oppositions affleuraient ici, là, au détour de l'étude d'un sujet. Mais il y avait suffisamment de sujets sensibles pour engager aussi une confrontation directe sur ces questions. Le groupe aurait éclaté. De toute façon, les dés étaient jetés. Le rapport serait rendu public dans quelques jours.

Les premières semaines qui suivent la parution du rapport sont difficiles. C'est un euphémisme. La fatigue, mais aussi l'accueil public fait au rapport me découragent. Deux questions font l'objet d'attaques violentes dans les médias : les positions majoritaires concernant la déconfessionnalisation du système scolaire et le coup d'arrêt à donner à la ségrégation scolaire. Deux choses me font particulièrement mal : les attaques injustes contre le président Robert Bisaillon et le silence qui entoure l'attaque contre notre position relativement à la ségrégation des écoles. Tout le monde se tait, sauf Lise Bissonnette du *Devoir* qui soutient notre position. Pour tous les autres éléments du rapport, silence. Je ronge mon frein. Après la sortie d'un rapport, on doit se taire. Je ne peux donc défendre le président contre les attaques injustes, même si je crois connaître ceux qui les alimentent. Et puis, pour le reste, la suite qui sera donnée au rapport dépend de décisions politiques. Ce rapport présente dix chantiers dans lesquels des actions devaient être entreprises pour améliorer le système éducatif. La réforme du curriculum est un de ces chantiers. La présence de Pauline Marois, comme ministre de l'Éducation, atténue certes la crainte que tout cet énorme investissement de tant de personnes à travers le Québec aboutisse à un flop, et alors, commissaires, nous aurions failli. Mais il n'y a rien d'autre à faire qu'à attendre, attendre la décision de la ministre.

Pour m'empêcher de me complaire dans ces pensées moroses, un ami, Jean-Pierre Bergeron directeur du SRAM, me demande alors de prononcer une conférence. C'est celle dont je vous ai déjà parlé et dont je vous ai cité la conclusion. Je vois là l'occasion d'exprimer publiquement l'état de ma réflexion sur un des axes à privilégier pour renouveler le programme d'études et je décide de reprendre pour cette conférence le texte que j'avais préparé sur cette question pour les commissaires.

La confirmation

L'accueil que reçoivent mes propos me remit en selle. Cette idée sur la perspective culturelle qui avait grandi et s'était fortifiée dans la broussaille méritait donc que je l'approfondisse. Des lectures m'y aidèrent. La toute première fut celle de *L'excellence et l'égalité. De l'éducation en Amérique* de Benjamin B. Barber[2]. Un mouvement et une pensée qui revendiquent l'excellence dans une école pourtant faite pour tous existaient donc bien aussi en terre d'Amérique! Et cette pensée n'avait pas peur d'affronter directement celle d'Allan Bloom, dont *L'âme désarmée*, ou du moins ses idées, remportait alors un grand succès chez nous. Pour Bloom, dont les idées ont été influencées par Leo Strauss de l'école de Chicago, qui fut aussi le maître de plusieurs des « néoconservateurs » de l'entourage de George W. Bush, l'éducation et la démocratie sont incompatibles. La démocratie est pour le plus grand nombre, l'éducation de qualité ne peut être que pour le petit nombre. Pour les straussiens, les grands

2. Paris, Belin, 1993.

livres sont grands, non parce qu'ils seraient des guides auxquels les masses devraient être introduites, mais parce qu'ils sont les codes secrets d'une tribu d'initiés. Je ne connaissais pas alors Barber, pourtant grand politologue américain. C'est par hasard, en bouquinant dans une librairie où je n'étais encore jamais entré, que j'étais tombé sur son livre. Une chance, ce livre eut un effet tonique. On pouvait, on devait chercher à viser la qualité pour le plus grand nombre. Chercher à accentuer la perspective culturelle pour des programmes conçus pour tous était donc légitime.

Quelques semaines plus tard, un deuxième livre devait répondre à une autre de mes questions. Un des débats du temps, vous constaterez que dix ans après il est toujours là, opposait ceux qui donnaient de l'importance au processus à ceux qui donnaient de l'importance au contenu. Le «comment» apprend-on est-il plus important que «ce» qu'on apprend, la compétence (mais oui, ce mot était déjà alors utilisé) plus importante que la connaissance? Ces débats me paraissaient vains, alimentés souvent par des universitaires en quête de terrains qui les distinguent des autres. Ce n'était là qu'un des derniers avatars de cette guerre de religion perpétuelle qu'affectionne le milieu de l'éducation, guerre dont les termes peuvent changer pourvu qu'il y ait deux camps qui peuvent s'opposer. Pourquoi ne pouvait-on pas donner de l'importance à la fois au contenu et au processus? C'est bien ce que l'on fait quand on est dans une classe. Tout comme vous, c'est ce que j'ai toujours fait quand j'ai enseigné. Et pourquoi l'enrichissement que la perspective culturelle entraînerait dans les programmes d'études ne pourrait aller sans que, en même temps, ces mêmes programmes soient l'occasion d'un meilleur développement intellectuel des élèves? Mais cette idée était-elle partagée par ceux qui donnaient de l'importance au processus?

Je connaissais alors depuis plusieurs années l'existence du mouvement cognitiviste, mais je n'avais pas suivi en détail son évolution. Je m'étais surtout intéressé à ses débuts quand, autour des années 1960, au retour d'un séjour de quatre ans en Suisse auprès de Piaget, Papert avait remis en cause les thèses behavioristes de

Watson, le pape alors régnant de la psychologie expérimentale de l'apprentissage aux États-Unis. Papert m'avait intéressé parce que les élèves auxquels j'enseignais n'étaient pas des rats blancs et que l'apprentissage qu'ils avaient à faire avait bien peu de rapport avec l'apprentissage des réflexes étudiés sur des rats. Mais depuis lors, je n'avais pas suivi les travaux de ce mouvement et j'ignorais notamment, et jusqu'au nom, une de ses variantes, le « sociocognitivisme ». Et là encore, autre rencontre bénéfique ! Je croise Luce Brosseau, la directrice de *Vie pédagogique*. Elle a en main un livre de Jerome Bruner, un des principaux auteurs sociocognitivistes, me dit-elle. Le titre du livre ? *L'éducation, entrée dans la culture*. Je le lui arrache des mains et l'emprunte pour quelques jours. Certes pour Bruner l'apprentissage humain se déroule mieux s'il est actif, réalisé en commun, s'il donne de l'importance à l'appropriation, l'intégration personnelle des connaissances plus qu'à leur simple réception et l'on peut, si on se base sur cela, mieux enseigner, pense-t-il, et je le pense aussi, les sciences, les mathématiques ou les langues dans les écoles. Mais il pense aussi que l'éducation est préparation des jeunes au monde. Mais ce monde auquel il faut les préparer est un monde culturel, c'est le produit de représentations et de réalisations humaines. Aussi l'école n'est pas seulement préparation à la culture, mais déjà entrée dans la culture elle-même puisque les matières qu'on y enseigne sont justement des productions culturelles. Je trouvais dans cette lecture la démonstration que l'on pouvait à la fois défendre l'importance du processus et celui du contenu. Et je trouvais aussi dans ce livre cette phrase que j'ai alors notée, longtemps gardée sur mon bureau et qui après bien des hésitations m'a décidé à vous écrire : « Pour améliorer l'éducation, il faut des enseignants qui s'engagent dans les améliorations envisagées et qui les comprennent. Une telle banalité ne mériterait pas d'être signalée, si elle n'était pas sous-estimée dans toutes les réformes de l'éducation[3] ».

---

3. J. Bruner, *L'éducation, entrée dans la culture*, Paris, Retz, 1997, p. 53.

L'idée dans la lumière

Mais c'est la relecture de Fernand Dumont qui, plus que toutes les autres, devait m'inciter à persévérer dans mon idée. Tout prenait sens. L'idée devenue de plus en plus claire et évidente franchissait par cette relecture une étape. Elle s'imposait à moi comme une nécessité qu'il faudrait faire reconnaître. Quelques mois auparavant, lors des états généraux, dans l'avion qui me ramenait d'une audience en Abitibi, j'avais reçu comme un coup de poing dans l'estomac ces quelques lignes de son dernier livre *Raisons communes*. Pour en mesurer le poids, il faut lire ces lignes lentement. « Réformer notre système d'éducation : voilà le combat des années présentes, condition de tous les autres. Que nous importe une société distincte, dont l'ignorance serait le trait caractéristique ? À quoi sert le bavardage politicien sur la priorité de l'économie, alors qu'un nombre grandissant de jeunes quittent l'école sans qualification véritable ? Pourquoi une politique libérale envers les créateurs, quand l'in-culture raréfie leurs publics ? Comment imaginer une démocratie, où des citoyens responsables émergeraient des déserts de l'esprit[4] ? » Ces phrases me hantaient depuis et j'ai relu alors *Raisons communes* et *Le sort de la culture*, un recueil de textes de Dumont sur la culture.

Connaissez-vous Fernand Dumont autrement que de nom ? Pour comprendre, dans une perspective historique, certains des enjeux encore actuels de l'éducation au Québec, il faut lire son livre *Le récit d'une émigration*[5]. Le titre dit déjà tout. Ce livre de Mémoires n'avait pas encore alors paru, mais ce qu'il y dit se percevait déjà dans ses écrits : le déchirement qu'il avait vécu en passant, en émigrant, de sa culture d'origine à la culture scolaire. Émigrant moi-même, venant d'ailleurs, il fut dès mon arrivée ici, comme une boussole qui me permettait de me repérer, de comprendre et de m'insérer dans la mutation que vivait alors le Québec. Son parcours était exemplaire, à plus d'un titre, du parcours que des milliers et

---

4. F. Dumont, *Raisons communes*, Montréal, Boréal, 1995, p. 168.
5. F. Dumont, *Le récit d'une émigration*, Montréal, Boréal, 1997.

des milliers de Québécois devaient faire avec la réforme de l'éducation du rapport Parent. Mais Fernand Dumont ne s'était pas contenté de vivre cette émigration, il a réfléchi sur ce qu'elle signifiait pour lui, pour le Québec. Sa pensée et son action de citoyen se sont construites sur cette expérience. Aussi il restera pour moi le plus grand des intellectuels québécois.

Il était d'un milieu pauvre, un milieu de première génération ouvrière. Il n'est pas allé au collège classique mais au « primaire supérieur ». Il n'a rejoint le collège classique, passage obligé pour aller à l'université, que dans ses toutes dernières années. Il a étudié seul, avec l'aide de son curé, le latin et le grec, seuls sésames d'accès aux études supérieures du temps. Il a vécu douloureusement, au point d'en faire le point central de toute son œuvre, ce passage entre son milieu qu'il aimait et qu'il abandonnait et cet autre milieu, celui de l'école, qu'il aimait aussi au point de vouloir y rester toute sa vie. Pour lui, passer d'une culture à une autre, ce fut comme pour des milliers d'entre nous, issus de familles modestes, une trahison des siens, une trahison des nôtres. Mais alors, pour éviter cette douleur, comment réconcilier la « culture d'origine », genres de vie, attitudes et croyances dont nous vivons tous les jours, et la « culture savante » des œuvres de l'esprit, celles dans lesquelles l'école nous introduit ? Comment favoriser, sans reniement, ce passage d'une culture à l'autre ? Et qui sinon l'institution scolaire devrait le faire ? Et le fait-elle ? Non, pense-t-il. Et comment, pour reprendre une de ses formules, développer à l'école « une pédagogie qui suscite la migration d'une culture à l'autre » ?

Ces textes résonnaient en moi. Les œuvres de l'esprit que veut présenter l'école ne sont pas étrangères à nous, elles sont le produit des hommes et des femmes qui nous ont devancés, humains comme nous, nous sommes des nains sur des épaules de géants, mais humains comme eux. L'action et la présence de ces œuvres est encore visible de nos jours dans notre monde, et il faut le montrer, et c'est pour pouvoir y vivre et agir à notre tour qu'il nous faut les connaître. C'est cela le terrain sur lequel doivent se placer les programmes d'études, c'est cela la perspective qui doit les soutenir.

Je sortais de cette relecture non seulement confirmé dans la justesse de mon point de vue, mais renforcé dans la conviction de la nécessité qu'il en soit ainsi. Si un homme qui avait consacré sa vie d'intellectuel et de citoyen à analyser et réduire cette tension entre la culture de son milieu et celle de l'école en la vivant d'ailleurs comme la matrice de la tension vécue collectivement par son peuple, le peuple français d'Amérique, la tension entre le repliement dans le cocon et le départ pour exister, dit que l'école doit aider à résoudre cette tension pour les jeunes par la qualité culturelle de ses programmes d'études, cela ne pouvait être qu'un simple souhait, cela devenait pour moi une obligation. Fernand Dumont est québécois en ce sens qu'il refusait de se désengager du lieu d'où il parlait, mais la crise que provoque la confrontation des deux cultures avait évidemment une portée plus universelle. Moi-même enfant de paysan, ne parlant au moment d'entrer à l'école que le basque, j'ai vécu aussi cette migration. Elle fut même redoublée puisqu'il me fallut passer de la culture d'origine à l'autre, à la fois savante et dans une langue autre, le français. Mais pourtant cette blessure fut pour moi atténuée : dès le primaire, j'eus la chance d'avoir un maître qui a su faire le lien entre les deux cultures. L'école pouvait donc faire cela.

J'eus l'intention de poursuivre cette réflexion et cette action dans un livre. Je n'en eus pas le loisir. En janvier 1996, la ministre de l'Éducation, Pauline Marois, me demandait de présider le groupe de travail ministériel pour la réforme du curriculum d'études. La lecture ou la relecture des chapitres 2 et 3 du rapport *Réaffirmer l'école*, rédigé cinq mois plus tard par notre groupe, est toujours, je pense, utile. Vous y verrez comment s'est déployée cette idée dans nos propositions d'orientation du programme d'études. Cette lecture permet d'aller aux sources qu'il est bon parfois de consulter, sans intermédiaire, pour mieux comprendre les intentions de départ.

J'ai été long sans doute, mais il faut savoir perdre son temps dans les chemins de traverse. Les détails qu'on y recueille nous disent plus l'âme d'un pays, sa saveur, que le voyage par les routes rapides. Car c'est ainsi que germent et se développent les idées. On les croit sorties toutes armées de nos têtes. Mais non, leur tissu est fait d'intuitions, d'hésitations, de retours, de confrontations, de fulgurances, de lenteurs, d'évidences, de doutes, de confirmations. Encore Alain, dans le même propos que je vous citais au tout début de la lettre : « L'idée nouvelle pousse dans un fourré d'idées. C'est ainsi qu'un chêne, par ses bras noueux, représente des obstacles, des blessures, des victoires[6]. »

Mais les racines de ce chêne, transplanté dans la vraie terre, celle du programme d'études qu'il fallait renouveler, ont-elles vraiment pris en terre ?

---

6. Alain, *op. cit.*, p. 129.

LETTRE III
L'idée sur le terrain

Après l'idée dans la broussaille, il faut bien examiner ce qui est advenu de l'idée sur le terrain. L'orientation proposée s'est-elle véritablement traduite sur le terrain du nouveau programme d'études? D'entrée de jeu et sans hésitation je dirai oui. La présence de la perspective culturelle est manifeste dans le contenu de ce programme. Des observateurs étrangers l'ont tout de suite remarqué alors que ce fait est peu reconnu chez nous. Pourquoi?

La réponse à cette question est secondaire. Ce qui est important par contre, c'est non seulement la présence de la perspective culturelle dans le curriculum théorique, officiel, mais sa présence effective dans le curriculum réel, celui que l'on met en application dans sa classe. Même quand le curriculum officiel mettait moins l'accent sur cet aspect du programme d'études, il y a toujours eu des enseignants qui, pénétrés de cette vision des choses, ouvraient l'esprit de leurs élèves à cette réalité. Et ce nouveau programme les réjouira. Mais la seule inscription d'éléments culturels dans les programmes d'études ne peut à elle seule garantir l'enrichissement de ce programme. Il faut, de plus, intérioriser la vision que cela suppose. Se contenter d'appliquer mécaniquement un programme, sans en comprendre le sens, sans être habité par l'esprit qui l'anime, ce n'est déjà certes pas rien, mais est-ce suffisant? Si cet esprit, cette vision, sont vivaces, alors on voit les terrains à consolider ou à conquérir et l'idée prendra vraiment racine. Ce sont quelques-uns de ces terrains que je voudrais vous signaler dans cette lettre.

Transmission et refondation

Ainsi, la perspective culturelle choisie pour le programme d'études permet de mettre en relief le sens de votre métier en le situant dans le rôle social essentiel que remplit l'école. Si cette perspective était plus présente dans le discours public sur le rôle de l'école, et par ricochet sur le vôtre, les images de l'un et l'autre en sortiraient renforcées aux yeux de la population. L'histoire montre que, à leur origine, les grands développements, même les développements technologiques, ont été portés non par des intérêts économiques mais par des aspirations sociales fortes qui trouvaient dans ces développements un support à leur réalisation. Ainsi, c'est le mouvement d'affirmation de la liberté de conscience, porté par le protestantisme, qui, au départ, a présidé à l'essor (et non à l'invention) de l'imprimerie. Il en est de même pour l'école. Il y a cinquante ans, chez nous, l'effort demandé à la population pour réaliser les investissements collectifs devant assurer l'accès de tous à l'école et susciter une demande d'études de plus haut niveau pour un plus grand nombre s'est appuyé sur le « qui s'instruit s'enrichit ».

Mais sur quoi une école qui propose une perspective culturelle de son programme d'études peut-elle, elle, s'appuyer ? L'emploi ? Non. Au contraire, cette orientation fait contrepoids à une vision immédiatement utilitaire de l'école. D'ailleurs justifier l'école par l'emploi est inefficace pour beaucoup de jeunes. Et ce faisant, on dénature la fonction même de l'institution. Ceux qui, par le passé, se sont battus pour que nos sociétés rendent accessible et même obligatoire l'école pour tous avaient des raisons autrement plus fortes que celles de l'emploi. Ils voulaient que l'égalité entre les hommes, reconnue par la loi, puisse devenir davantage une égalité de fait par l'accès de tous à la lecture, à l'écriture, sans lesquelles il n'y a pas d'exercice effectif de la liberté des citoyens. Tout le monde va maintenant à l'école, c'est pourquoi une telle justification a moins de résonance, même dans les milieux scolaires. On s'habitue à tout. Mais alors, pourquoi l'école ? Elle est là pour transmettre ces savoirs que les générations antérieures ont constitués et qui font que notre monde est maintenant ce qu'il est. L'école plus que jamais doit se dire comme lieu de transmission, comme lieu de relais entre les générations. Et pour accomplir correctement ce rôle elle doit refonder. Mais qu'est-ce que refonder ? Refonder, ce n'est pas seulement transmettre, c'est établir les filiations de ce qu'on transmet. Dans les lieux structurés de transmission, on ne se contente pas de transmettre, on dit d'où vient ce qu'on transmet, comment ce qu'on transmet s'est constitué dans le temps, pourquoi on transmet et comment ce qu'on transmet est encore actuel.

Or ce rôle est plus que jamais nécessaire dans nos sociétés. Ce dont elles souffrent est la crise du sens. Nous sommes plus riches en réponses aux questions concernant le comment qu'en réponses aux questions concernant le pourquoi. Or la crise du sens dans une société s'accompagne de la disparition des lieux structurés de transmission. Dans les programmes d'études des écoles élémentaires de 1959, la présence d'un lieu structuré fort de transmission est évidente, c'est celle de l'Église. Elle structurait l'essentiel du discours véhiculé par l'école. Et ce qui renforçait cette transmission, c'est l'accord de fond entre cette institution et deux autres, celles de l'État et de la famille. Nous ne sommes plus dans cette situation. Il y a laïcisation de la société ; la famille, comme institution, n'est plus homogène ; l'État renvoie à la sphère privée la transmission des valeurs. Dans ce vide, seul, ou presque, le discours économique, répercuté constamment par les médias et tourné uniquement vers le rendement immédiat au présent, dit et transmet les normes. Et l'école, faute de convictions fortes et par paresse, répercute elle-même, à son tour, ce discours économique, le discours du monde marchand alors que pourtant son lieu propre est celui du monde de la culture et qu'elle devrait donc d'abord porter le discours de la culture. Et dans le contexte d'une école présentée ainsi, votre rôle prend alors toute son importance et mérite la reconnaissance sociale. Vous et vos collègues du primaire et du secondaire, et cela bien plus

que les enseignants des ordres ultérieurs qui préparent eux plus directement à l'emploi, vous êtes essentiellement des passeurs culturels.

Pourquoi donc une telle conception du rôle de l'école, mani-
festée par son programme d'études, n'est-elle jamais ainsi affirmée ?
Est-ce parce que le mot « transmission » fait peur ? Est-ce parce qu'on
se fait une idée mécanique de la transmission ? Est-ce parce qu'on
pense que le mot « culture » connote seulement les arts et les lettres
et qu'une telle formule privilégierait certaines matières par rapport
à d'autres ? Est-ce tout simplement parce qu'on n'a pas lu le
programme d'études ?

La distance et le temps

La perspective culturelle donne aussi du sens à ce trait qui caractérise
l'apprentissage à l'école, la mise à distance. Il y a dans votre métier
des moments qui permettent d'assister à la vie d'un esprit qui
s'éveille, que ne connaîtra jamais celui qui n'a pas enseigné à des
enfants ou à des jeunes. Un de ces moments, c'est celui dans lequel
on voit un enfant ou un jeune prendre distance du problème et par
cette distance même le comprendre. C'est déjà la distance qui est
au cœur de la première expérience fondatrice de l'enfant comme
personne, l'expérience du miroir. Devant le miroir, il est là devant
un autre que lui, distant de lui et pourtant proche de lui, car c'est
lui qu'il voit et il se reconnaît. Ce moment de distance, cet écart
entre soi et soi comme autre, l'ouvre à la conscience de soi et en
même temps à la pensée. À partir de ce moment, l'enfant change,
il entre en humanité et s'ouvre au langage. Distance, proximité, c'est
ce jeu qui comme une basse marque tous les moments forts de
l'apprentissage de l'élève. C'est dans la distance, l'écart, que l'élève
comprend, c'est-à-dire saisit le sens et en même temps s'affirme
comme personne. Je reviendrai une autre fois sur ce point qui, plus
que toutes ces théories savantes sur l'apprentissage, devrait vous
servir de guide dans votre rôle d'éveilleur d'esprit.

Mais ce jeu de distance-proximité, si important dans l'émergence de la pensée, est, vous l'avez déjà deviné, continuellement

sollicité dans un programme d'études qui privilégie la perspective culturelle. La culture de la classe n'est pas la culture d'origine, il y a une différence de niveau disait Fernand Dumont entre « les conversations de taverne et les dialogues de Platon, entre la marche et la danse », car tout ne s'équivaut pas. Aller à l'école demande donc de se dépasser, d'être dépaysé, de quitter « sa culture d'origine », mais pour y revenir et la faire de nouveau sienne parce qu'on la comprend. Deux mille cinq cents ans nous séparent de la toute première tragédie, *Les Perses*, mais la guerre est toujours actuelle et Eschyle nous parle encore ; les mathématiques sont abstraites, détachées du réel, et pourtant elles sont notre quotidien, « les nombres gouvernent le monde », comme l'avait déjà vu Pythagore ; le système seigneurial de l'occupation du territoire de la Nouvelle-France n'existe plus, mais il marque toujours nos paysages le long du Saint-Laurent ou de la Richelieu ; un des avatars de l'histoire de la révolution industrielle née en Angleterre au dix-huitième siècle se jouait encore il y a deux ans lors de la fermeture de l'usine de l'Abitibi Consolidated à La Baie ; la loi de Mariotte règne toujours dans les pneus des vélos et des autos ; un élément de la reine-des-prés ou de l'écorce de saule qui servait aux Amérindiens à faire baisser la fièvre se retrouve dans l'aspirine. C'est dans cet écart, cette distance entre la réalité « étudiée » et la réalité « réelle », entre le passé et le présent que s'installe la perspective culturelle. Le véritable « homme cultivé » savait déjà du temps du collège classique qu'il y a un lien entre les discours savants et la réalité et c'est cela qui le distinguait du cuistre. Pour qu'il y ait vraiment culture, les discours de la culture savante doivent venir donner sens à l'expérience, c'est-à-dire à la culture première.

Une telle vision des programmes ne va pas de soi. Les enfants et les jeunes vivent dans un monde qui favorise l'immédiat, l'instant. Inutile de se réfugier dans la déploration, de se plaindre de cette situation. L'école doit savoir résister, elle est aussi faite pour cela, et pour proposer, à contre-courant, aux enfants et aux jeunes, la distance, la mémoire. À l'école, on tourne le dos aux sollicitations immédiates de l'adaptation. Certains en concluent qu'on ne s'y intéresse à la connaissance que pour la connaissance. Mais non, à l'école, on pratique l'art du détour. Si on tourne le dos aux sollicitations immédiates de l'adaptation, c'est pour viser une meilleure adaptation. Et c'est en ce sens que l'école est utile — je n'hésite pas à employer ce terme. Je ne crains pas en le disant de réduire l'école à un apprentissage élémentaire. Au contraire. Si l'enrichissement culturel des programmes est indispensable, si l'école doit présenter des objets culturels, c'est que ces savoirs sont utiles, nécessaires, pour comprendre, vivre et agir dans un monde complexe qui n'est pas un monde naturel, mais un monde construit par les hommes, un monde culturel.

La langue est ma demeure

« La langue est ma demeure. » Cette belle formule est du philosophe allemand Martin Heidegger. Elle dit, mieux que toute autre, comment l'apprentissage de la langue est introduction dans la culture. Cette perspective culturelle sur la langue éclaire ce que doit être son apprentissage.

Les raisons qui poussent à faire de l'étude de la langue maternelle un des dispositifs essentiels du programme d'études ne manquent pas. Quand le fait de parler français est presque le seul élément d'identité d'un peuple de quelques millions de personnes placé en Amérique du Nord au milieu de trois cents millions de personnes parlant une autre langue, celle du plus puissant pays du monde, c'est une raison suffisante pour apporter plus de soins à la maîtrise de cette langue qu'il nous faut transmettre aux jeunes générations comme un patrimoine. Pour cette seule raison, c'est un combat incessant que l'école devra mener au Québec pour valoriser l'étude et la pratique de cette langue. De plus l'expérience scolaire nous a appris que tous les savoirs que donne l'école ne sont pas équivalents. Certains sont plus importants que d'autres parce qu'ils sont une des clefs qui ouvrent à d'autres savoirs. Savoir lire et écrire conditionne tout l'apprentissage ultérieur scolaire, mais aussi professionnel. Cela ne fait pas des enseignants de français des enseignants plus importants que les autres, mais l'objet de la matière qu'ils enseignent est plus important, ce qui fait, à tout enseignant, une obligation de se préoccuper aussi de la qualité de la langue dans la discipline qu'il enseigne.

L'expérience nous a aussi montré que la scolarisation ne garantit pas la maîtrise des habiletés de lecture. Une fois l'école terminée, les occasions de lecture peuvent diminuer et, faute de pratique de la lecture, les habiletés de lecture se perdent. C'est par l'habitude de la lecture qu'on peut conserver la maîtrise des habiletés de lecture. L'école ne doit donc pas se contenter d'enseigner des habiletés de lecture, elle doit aussi nourrir des habitudes de lecture. Or, les habitudes se développent mieux quand on est très jeune. Et, plus elles suscitent du plaisir, plus leur ancrage réussit. Aussi on voit de plus en plus des enseignants du primaire stimuler chez les élèves le goût de la lecture, sans lequel les habitudes de lecture ne se maintiendront pas. Il y a donc depuis des années dans beaucoup de nos écoles un mouvement de revalorisation de l'enseignement du français. Les nouveaux programmes de français — mais sont-ils si nouveaux que cela? — visent-ils suffisamment cette revalorisation? Je ne saurais le dire. En revanche, je sais que la représentation que l'on se fait, soi-même, de la langue, de sa nature, peut colorer l'importance que l'on donne à certains aspects de son apprentissage. Aussi, une représentation de ce qu'est la langue comme objet de culture, la langue elle-même et non seulement les œuvres produites dans cette langue, ce qu'on appelle la littérature, me semble essentielle.

La langue n'est pas d'abord un outil, un outil de communication, mais comme objet de culture, elle est une demeure qu'il nous faut habiter. Elle est là avant nous, bien plus ancienne que ceux qui la parlent. La langue est un espace dans lequel il faut entrer et qu'il nous faut occuper, un espace que nous n'occuperons probablement jamais entièrement et dont les possibles dormiront encore. Bien sûr, nous n'occuperons pas toutes les langues de cette façon. L'occupation de la langue seconde peut rester superficielle, car elle peut ne servir qu'à assurer la communication. Mais la langue première, elle, doit être habitée. Et c'est cela que doit faire l'école, la faire habiter par les enfants et les jeunes. On oublie cela parce que l'enfant qui arrive à l'école parle déjà habituellement la langue première enseignée à l'école et nous pensons que la langue est déjà en lui. Mais non, nous sommes dans la langue bien plus qu'elle n'est en nous et le jeune enfant la parle certes en arrivant à l'école, mais il ne l'habite pas encore, ou si peu. Cette expérience d'une langue, extérieure à soi, dans laquelle il faut entrer pour l'habiter, c'est l'expérience que vit l'enfant qui entre à l'école pour y recevoir un enseignement dans une langue qu'il ne connaît pas. Ce fut la mienne et ce n'est que dix ans après, à seize ans, pendant que j'écrivais un travail que j'ai commencé à me sentir bien, à l'aise, dans cette langue. Je commençais à l'habiter. Or, cette expérience est l'expérience de tous les enfants qui arrivent à l'école. Quand on en a conscience, je ne suis pas sûr que l'on voit l'enseignement de la langue de la même façon.

Je ne suis pas un spécialiste de l'enseignement du français, mais, si j'avais à l'enseigner, je suis sûr que cette représentation de la langue, comme objet de culture dans laquelle il faut entrer pour l'habiter, inspirerait ma pratique. Je dirais peut-être des bêtises aux yeux des experts de la didactique, mais qu'importe!

Si l'apprentissage que l'on fait à l'école vise à habiter la langue, je saurais donc que c'est une entreprise longue, difficile, qui demande du temps et aussi des exercices pour que les mots et l'utilisation de la syntaxe mûrissent comme doit mûrir tout ce qui n'est pas superficiel.

Je donnerais de l'importance aux mots, à l'acquisition du vocabulaire, car les mots sont déjà là riches de significations qui attendent qu'on les habite et que, comme disait André Breton, « la médiocrité de notre univers n'est que la conséquence de l'insuffisance de notre pouvoir d'énonciation ». Mais ces mots sont bien plus riches que les concepts qui prennent appui sur eux. Certains mots sont beaux, savoureux, odorants, musicaux, ils disent le monde par leur sonorité et, dans un monde qui multiplie les images, je conduirais, à contre-courant, les élèves à goûter le pur plaisir de « dire » des poèmes. Et dans ces mots, dont le pouvoir est accentué par les rythmes, les allitérations, si importantes dans la musique propre de la langue française, ils découvriraient une voix et son appel à notre capacité d'émotion.

Je donnerais de l'importance à la connaissance et au respect des codes (grammatical, syntaxique) et des règles (ponctuation, orthographe). On entre dans la langue. Or, quand j'entre dans un jeu, j'en respecte les règles et quand je joue de la musique ou que je chante, j'évite les fausses notes. Mais cette exigence, quand il s'agit du code grammatical ou syntaxique, serait bien plus grande que pour les règles d'orthographe, car cela engage plus qu'un simple respect : il s'agit là de soutiens de la pensée. S'exprimer de façon claire et argumentée, rédiger un texte construit, cela ne se fait pas sans le soutien et le respect de ces codes. Parler et penser sont des activités liées. Les liens des idées entre elles, leur rapport, l'existence même des idées sont en relation avec la langue. Plus encore, il y a un rapport entre une certaine manière de raisonner et la structure syntaxique particulière d'une langue. L'expression en langue française pousse comme naturellement à la clarté. On raconte que Kant attendait toujours impatiemment la traduction de ses livres en français : sa pensée traduite en français lui paraissait toujours plus claire que lorsqu'il l'avait exprimée en allemand.

Je ferais évidemment aussi bien d'autres choses que me demanderait le programme. Et je leur ferais lire, entre autres, des textes de grands écrivains (et oui, Tournier a aussi écrit pour les enfants), puisque c'est là que les ressources de la langue sont employées de façon la plus riche et parce que la littérature ou la poésie ne sont pas seulement des objets esthétiques mais aussi des leçons de vie. On apprend ainsi à se connaître et reconnaître à travers le monde des passions et des sentiments. Mais ce que j'ai voulu dire ici, c'est que la vision de la langue elle-même, comme objet culturel, comme demeure à habiter qui nous met à l'existence, donne sens à ces tâches parfois fastidieuses de l'exercice, de l'acquisition du vocabulaire, de l'étude et de la pratique des codes et des règles. Se préoccuper de ces choses dans les classes avec les élèves est tout aussi culturel que de faire de la littérature, ce qu'il faudra évidemment aussi faire.

L'histoire et la mémoire

Parmi toutes les disciplines enseignées à l'école, l'histoire est celle qui suscite le plus de réactions du public. Vous l'avez encore vu récemment quand est sortie la proposition du nouveau programme d'histoire du Québec et du Canada du secondaire. Bien des personnes, qui font confiance aux spécialistes quand il s'agit de l'enseignement des sciences, ont par contre une idée personnelle de ce que devrait être l'enseignement de l'histoire. La vivacité des débats montre bien qu'il s'agit là d'une question sensible. C'est que l'enseignement de l'histoire au primaire et au secondaire ne vise pas seulement à étudier le passé, mais aussi à dire aux enfants et aux jeunes qui ils sont. Cet enseignement touche des questions d'identité : on attend de cette matière qu'elle transmette aux enfants et aux jeunes une mémoire collective fondant l'appartenance au groupe et, il ne faut pas hésiter à dire le mot, à la nation. Dans le rapport *Réaffirmer l'école*, notre groupe de travail avait traité de la question de l'histoire nationale, et je le dis sans hésitation, avec plus de courage et de franchise que ne l'avait fait le comité Lacoursière dont le mandat était de proposer un programme d'histoire nationale. Il le fit certes, mais sans aborder comme nous, à visière levée, la question du statut de l'histoire nationale dans le programme d'études de l'école obligatoire.

Je ne reprendrai pas ce que nous avions alors dit. Je voudrais plutôt vous donner ici quelques clefs pour comprendre les débats qu'entraînent toujours des changements dans les programmes d'histoire, car au débat déjà vif de la question de l'histoire nationale viennent s'en ajouter d'autres, d'une autre nature ceux-là, et ils sont alors toujours lancés par les universitaires (comme d'ailleurs les débats sur les pédagogies et les théories d'apprentissage). Ces autres débats concernent les différentes conceptions que se font les historiens de l'histoire. Et tout est alors mêlé. La passion des antagonismes pousse à faire flèche de tout bois. On cherche à faire de vous un allié. On vous met dans une situation impossible : ici, le ministère vous demande d'appliquer le nouveau programme et vous devez le faire, là, d'autres personnes vous disent, pour diverses raisons, qui n'ont pas nécessairement de lien entre elles, que ce serait une erreur de le faire. Mais qui vous aide à comprendre ?

La première source de tension peut venir de l'approche culturelle du curriculum d'études. Dans cette conception, l'histoire n'est pas l'apanage d'une seule matière, des éléments historiques peuvent et doivent être introduits dans toutes les matières. L'histoire est la science qui situe, dans le temps, tout ce qui est humain. Des éléments historiques peuvent ainsi être introduits en sciences, en technologies, en maths, en arts, en français, etc. Vous ne ferez pas pour autant de vos cours de sciences ou de maths des cours d'histoire des sciences ou des maths. L'historien, le professeur d'histoire, s'intéressera à la succession des événements, aux changements dans le temps. Le professeur de sciences, en étudiant les principes de la thermodynamique de Carnot, rattachera leur formulation aux problèmes posés par la domestication de l'énergie du début de la révolution industrielle. Le professeur d'histoire suivra, lui, la marche de la révolution industrielle à travers le temps et l'espace et parlera des conditions de son développement, dont le développement scientifique, et peut-être parlera-t-il alors au passage, et ce serait bien, de Carnot ? Pour se faire un clin d'œil entre collègues, mais surtout pour renforcer les liens entre les choses diverses qu'apprend l'élève.

La deuxième source possible de tension tient au renouvellement périodique du contenu du programme d'histoire. On est dans l'histoire, on ne peut se comprendre que par l'histoire. Mais l'historien qui nous dit cette histoire n'est pas lui non plus au-dessus de l'histoire. Ce sont les préoccupations de son époque qui guident ce qu'il cherche à connaître du passé. On regarde le passé avec les lunettes de son époque, avec les questions de son époque pour y trouver des réponses pour son époque. Le programme d'histoire des écoles change avec les époques. Ne pensez-vous pas qu'il est plus important que des jeunes vivant dans une société qui se transforme par une nouvelle révolution, la révolution numérique, et qui sont préoccupés par l'avenir écologique de leur planète, connaissent ce que fut la révolution industrielle plutôt que des dates de bataille ou celles de la succession des dynasties ? Parmi toutes les matières d'un curriculum d'études, c'est toujours le programme d'histoire qui est soumis aux changements de contenus les plus importants.

Mais ce n'est pas tout, il y a une troisième source possible de tension. Possible, mais non inévitable cette fois. Car ce sont les universitaires, les historiens eux-mêmes, qui s'en mêlent. Ils peuvent avoir des conceptions différentes du type de « fait historique » à privilégier dans l'étude du passé. En histoire, ce ne sont pas seulement les objets auxquels on s'intéresse qui, selon les époques, peuvent changer, mais il arrive aussi que le type de faits historiques auxquels on s'intéresse change. Depuis un peu plus de cinquante ans, tout un mouvement né en France, le mouvement de l'école des Annales, a déplacé dans la plupart des pays le champ d'intérêt des historiens. Alors que l'historien du temps s'intéressait surtout aux décisions et aux jeux politiques, aux événements, à ce qui se passe dans le temps de la courte durée (bataille, traité), on s'est intéressé davantage aux conditions économiques et sociales d'une époque, aux structures profondes, à ce qui se passe dans le temps de la longue durée (vie matérielle : habitat, organisation de travail, des échanges…). Les objets d'études des sciences sociales, démographie, sociologie, géographie humaine, économie, sont ainsi rentrés dans le champ de l'histoire.

Tout cela ne se fait pas sans débats dans les milieux universitaires. Mais ces débats atteignent à un moment donné l'école. C'est une loi connue des matières enseignées à l'école obligatoire : une trentaine ou quarantaine d'années après qu'un courant nouveau s'est développé chez les praticiens d'une discipline, notamment à l'université, ce mouvement percole jusqu'aux ordres inférieurs. Et non sans débats. Avez-vous entendu parler du débat des mathématiques modernes vécu chez nous, au début des années 1970, quand on a voulu introduire la théorie des ensembles à l'école primaire ? On assiste à un phénomène analogue pour l'histoire. Les objets de l'intérêt de l'école des Annales (modes de vie, institutions, économie, démographie…) prennent de la place à côté des objets de l'histoire classique (événements politiques, personnages). Est-ce que l'équilibre entre les deux champs d'intérêt est suffisamment gardé ? Il est certain que la perspective culturelle préconisée pour le curriculum d'études pousse à introduire ces nouveaux éléments dans le champ de l'enseignement de l'histoire. Et ce mouvement est très manifeste dans le programme d'histoire du primaire. L'homme est un être social : art, mode de vie et de travail, institutions politiques, sociales, économiques, sont les formes multiples que prend la vie humaine en société. L'élève va vivre dans cet environnement. Il ne peut les ignorer. Mais je comprends qu'au départ, sans explication, cela n'aille pas de soi pour un professeur d'histoire qui voit ce qui constituait auparavant le contenu de sa matière réduit ou réorganisé pour faire place à ces éléments nouveaux.

Quatrième source de tension, la nature et la place de l'histoire « nationale » dans le programme d'histoire. Mais ici les tensions seront certaines et cette source, à elle seule, en produira plusieurs. Dans la majorité de pays occidentaux, l'histoire est entrée dans les programmes de l'école obligatoire, au cours du dix-neuvième siècle, pour renforcer l'intégration des enfants et des jeunes autour de l'État-nation. L'histoire étudiée à l'école était essentiellement l'histoire nationale, conçue dans le dessein de transmettre une mémoire collective, une histoire qui présente des événements mémoires qui cimenteront l'appartenance nationale. Et c'est aussi le cas de l'histoire du Canada du programme de 1959 dont je vous ai parlé. On voit dans ce programme la représentation que l'on se faisait en ce temps de la mémoire collective à transmettre. On ne se reconnaîtrait plus ni dans cette vision ni dans les mots utilisés. Le thème du programme de la première année était « Chez les Indiens, les missionnaires sont venus », celui de la deuxième, « Les Français s'établissent au pays des Indiens », celui de la troisième, « Ils ont fait notre pays », celui de la quatrième et de la cinquième, « Découvreurs et pionniers », celui de la sixième et de la septième « L'épopée canadienne ». Dans ce type d'histoire, l'histoire n'est plus simple étude du passé, elle est aussi autre chose, édification de la mémoire collective, au point que l'événement pourrait être faux tout en faisant pourtant partie de la mémoire collective, s'il a un effet positif, c'est-à-dire s'il rassemble et crée une appartenance. Ces événements fonctionnent comme des mythes. La position que nous avons défendue dans notre rapport est que l'histoire nationale, comme transmission de la mémoire, doit être présente dans le curriculum d'études, parce que la communauté nationale est une des réalités dans lesquelles se constitue l'identité et que le besoin de retrouver ses racines, d'afficher sa différence, de resserrer la solidarité du groupe s'exprime encore et aussi dans un horizon prévisible dans le cadre de la nation.

Mais vous voyez tout de suite poindre une tension : quelle est la place respective qu'il faut donner dans le cours d'histoire nationale à l'histoire, science du passé, et à la mémoire, transmission d'événements qui constitueront la mémoire collective ? Car, s'il s'agit des mêmes événements, ils ne sont pas vus sous le même angle. Si on ne sait pas les distinguer par les intentions pédagogiques différentes, on mêle tout. Mais de plus, dans la constitution même du bouquet d'événements mémoires à transmettre qui édifieront la mémoire collective, il y a dans tous les pays, mais plus particuliè-rement au Québec, un grand nombre de pièges susceptibles d'attiser des tensions. Voulez-vous que je vous en dise quelques-uns ? Le Québec n'a pas une tradition séculaire d'histoire nationale à l'école, son introduction est récente, elle est due à l'initiative, à l'Assemblée nationale, d'un député péquiste, Claude Charron. La proposition d'introduction concernait l'histoire nationale du Québec, Claude Ryan a demandé qu'on y ajoute « et du Canada ». Mais chez certains, le doute subsiste toujours, s'agit-il d'histoire « nationale » ou d'histoire « nationaliste » ?

Toutes les histoires nationales proposent des événements fondateurs qui donnent une réponse à la question de l'identité, pour les Français, la prise de la Bastille ou « nos ancêtres les Gaulois », pour les Américains, le débarquement du *Mayflower* ou l'acte d'indépendance. Et dans ces deux cas, leur identité est claire. Mais nous, nous entendons-nous sur notre identité (Canadiens, Canadiens français, Québécois ?) et, en conséquence, sur les évé-nements fondateurs ? Et quelle est la nature des événements fondateurs retenus : des victoires ? des défaites ? des épreuves ? des trahisons ?... Et puis l'événement fondateur retenu, faut-il donner de la place à l'événement lui-même ou à ses conséquences, à ses traces ? Parfois, l'événement fondateur en lui-même n'est pas grand-chose, il n'a duré que quelques heures (la bataille des plaines d'Abraham), mais les traces qu'il a laissées se font toujours sentir. Mais à quoi donner plus d'importance : à l'événement mémoire qui touche affectivement ou à l'étude des traces par l'histoire science ? Toutes ces choses sont délicates, difficiles au point que pour les éviter on tend souvent à occulter, dans le cours d'histoire, l'histoire nationale, comme transmission de la mémoire collective. Ce qui n'est pas bon.

Et encore une autre difficulté, la dernière, mais c'est peut-être aussi une chance qui permet d'éviter ou du moins de contrebalancer les effets pervers de toute histoire qui n'est que transmission de la mémoire collective. Cette mémoire collective se transmet à l'école, mais aussi et d'abord dans la famille, dans les groupes que l'on fréquente, dans le milieu dans lequel on vit et aussi par les blagues ou les chansons. On sous-estime toujours la mémoire collective qui a déjà été transmise aux enfants avant qu'ils n'arrivent à l'école et qui leur permet de rentrer de plain-pied dans les faits historiques alimentant cette mémoire. Avant d'apprendre à l'école la bataille des plaines d'Abraham, le petit Québécois de souche savait que ses ancêtres avaient été battus par les Anglais. Or, la mémoire collective transmise à ses enfants par la famille récemment immigrée n'est pas celle qui est transmise par la sienne au petit Québécois de souche. Comment ces jeunes immigrés peuvent-ils à la fois recevoir la mémoire de leur famille qui est celle de leur groupe d'appartenance et assimiler à l'école une nouvelle mémoire, une mémoire collective autre ? Cela prendra du temps. C'est pourquoi il faut que l'école propose aussi aux élèves un lieu de rassemblement qui ne soit pas seulement celui de la mémoire du passé mais concerne aussi le projet à réaliser. L'éducation à la citoyenneté le permet. Certains s'étonnent que cette éducation soit placée dans le cours d'histoire. Les deux seraient incompatibles, la première serait du domaine des valeurs, la seconde, de la science. Mais penser cela ce n'est pas distinguer suffisamment histoire science et histoire mémoire. L'histoire nationale n'est pas d'abord de l'ordre de la science mais de la mémoire. Même si, dans les deux cas, il s'agit des mêmes événements historiques, on peut les présenter plus pour les connaître ou plus pour transmettre par eux une mémoire collective qui rassemble. D'un côté, connaître et user de la raison, de l'autre commémorer et susciter la ferveur, et dans le deuxième cas, tout comme pour l'éducation à la citoyenneté, on est dans le domaine des valeurs. Les écueils du ressassement, du renfermement, de l'exclusion ne sont jamais bien loin quand on cherche à rassembler par les seuls lieux de mémoire. Il faut leur faire contrepoids par des lieux tournés vers l'avenir. La démocratie comme projet est un de ces lieux.

Toutes ces questions que soulèvent ce nouveau programme d'histoire et les arbitrages délicats que suppose sa conception illustrent, je pense bien, le fait que le curriculum est un « construit social ». Et les réactions qu'il provoque en témoignent aussi. Le programme d'histoire est au carrefour de l'évolution de ce à quoi s'intéresse l'histoire, de l'évolution de ce qui à notre époque nous intéresse en histoire, des conséquences du choix de la perspective culturelle dans les programmes d'études, de la situation nationale actuelle du Québec, du rôle de renforcement de l'identité collective qui est attendu de l'école, du rôle de renforcement de la cohésion sociale qui est aussi attendu de l'école, de la situation actuelle de la population scolaire, hétérogène et d'immigration récente. Toutes ces choses sont en jeu dans le nouveau programme d'histoire. Pour pouvoir mieux l'enseigner aux élèves ou le leur faire apprendre, ne faudrait-il pas en avoir conscience au préalable ?

Les arts à l'école

Cela fait presque soixante ans que l'enseignement de la musique et des arts plastiques fait partie du programme d'études officiel de l'école primaire au Québec. La réforme en cours a augmenté la présence de cet enseignement en le rendant aussi obligatoire au premier cycle du secondaire. Quelques voix ont parfois timidement mis en doute la nécessité de l'enseignement des arts dans un curriculum d'études. Mais ces remises en question ont toujours fait rapidement long feu. L'adhésion à la nécessité de l'éducation artistique à l'école en sort chaque fois renforcée dans l'opinion publique.

La force de cette adhésion collective est étonnante. Elle n'est pas due d'abord au système scolaire lui-même. On ne la comprend que si on se reporte au rôle joué par les artistes dans le bouillonnement de la Révolution tranquille et le rôle de contrepoids qu'a exercé le rapport Rioux (1966-1969) face au rapport Parent (1963-1966). Notre société en est encore marquée. Une des préoccupations des commissaires de la commission Parent était la place que doit faire le système scolaire à la formation scientifique et technique que requiert une société qui s'industrialise. Cela les a conduits à remettre en cause, au nom d'un « nouvel humanisme », le socle de l'humanisme classique, fondement de la formation des élites du temps. Dans cette logique, le rapport Parent privilégie la rationalité dans l'organisation et dans la formation. Les arts comme mode de connaissance spécifique ou comme orientation professionnelle y sont peu valorisés. Dans la réorganisation du système scolaire, les écoles des beaux-arts sont intégrées au ministère de l'Éducation, les conservatoires de musique et d'art dramatique, rattachés au ministère des Affaires culturelles, mais ces ajustements administratifs se font sans cohérence ni perspective de développement à long terme.

La Commission royale d'enquête sur l'enseignement des arts dans la province de Québec est créée pour corriger ces lacunes. Aucun de ses membres n'est un professionnel de l'enseignement des arts. Sans doute pour cette raison, le rapport de cette commission, communément appelé rapport Rioux, traite de son objet avec une envergure qui dépasse de très loin les réorganisations administratives en posant la question de la place de l'art parmi les activités productrices des hommes. Il examine notamment les effets de l'industrialisation sur les arts, la culture et l'éducation. Les artistes sortent ainsi de la considération d'une pratique individuelle pour aborder leur rôle social. La culture industrielle, la rationalité technologique laissées à elles-mêmes rendront marginales, si l'on n'y prend garde, les pratiques artistiques et l'on y perdra collectivement son âme. Dans ce monde, l'art n'est pas un simple ornement de l'esprit, il a un rôle social, celui de maintenir et de sauver la vie de notre identité individuelle et collective. Il est « l'anticorps » de la société industrielle. « L'art, par définition, est liberté. [...] L'œuvre d'art, dans son action profonde, traumatise la société et la défie, en l'obligeant à se remettre en question, ou à se remettre en relation avec de nouvelles valeurs [...]. La société industrielle a en quelque sorte sécrété son propre anticorps[1]. » L'esprit du *Refus global* est présent dans ce rapport qui, en mettant l'accent sur la responsabilité sociale des créateurs, permet à chacun de trouver, ou de retrouver, un sens à leur présence dans la cité. Une école consciente de ce fait comprend alors l'importance de la créativité dans le développement de l'être humain et de sa culture. Au-delà des normes, des méthodes, il y a place pour ce surplus qui change tout et dont les arts sont la manifestation la plus évidente.

Sur les questions concernant l'éducation aux arts, l'école est toujours chez nous un peu à la traîne. C'est le monde de la culture et des arts, le monde des créateurs, et son ministère de référence, qui aiguillonnent l'école et lui rappellent qu'elle est aussi du domaine de la culture. Le ministère de la Culture a toujours eu en ce domaine une longueur d'avance sur celui de l'Éducation. Ainsi par sa politique culturelle[2], il favorise la démocratisation de la culture. Alors que l'enseignement culturel des sciences était inexistant à l'école, pour combler un retard dans la possibilité d'accéder à des connaissances scientifiques et techniques, ce ministère met en place, en très peu de temps, un réseau de musées scientifiques : Cité de l'énergie, Électrium, Cosmodôme, Biodôme, Insectarium, Plané-

---

1. *Rapport de la commission d'enquête sur l'enseignement des arts au Québec*, rapport Rioux, 3 volumes, Québec, Éditeur officiel du Québec, 1969, vol. I, p. 308.
2. *La politique culturelle du Québec. Notre culture, notre avenir*, 1992.

tarium, Jardin botanique, Musée ferroviaire, musée d'archéologie de Pointe-à-Callière. La démarche muséale est transformée. Les institutions culturelles tendent à devenir des écoles culturelles permanentes. Elles renouvellent périodiquement leurs programmations, invitent le public à apprendre, découvrir, réfléchir et cherchent à susciter la participation active de ceux qui fréquentent ces lieux. La politique de la lecture et du livre de ce ministère[3] inspire aussi à l'école la mise en place de programmes de développement du goût de la lecture. Des programmes, créés au début des années 1990, « Les artistes à l'école », « La tournée des écrivains », ouvrent la voie à une collaboration, devenue maintenant plus organique, entre les deux réseaux. Actuellement, plus de mille cinq cents artistes, écrivains et organismes offrent des ateliers artistiques ou des sorties culturelles aux élèves du préscolaire au secondaire. Désormais, ces activités ne devraient plus être compromises par les soubresauts des conflits de travail. Incontestablement, les milieux de la culture ont été et sont encore au Québec le moteur de la place accordée aux arts à l'école. D'ailleurs, le choix de la perspective culturelle proposée par notre groupe de travail pour le programme d'études n'est-il pas lui-même, pour toutes les matières d'un programme, l'extension de ce que monde de la culture demandait pour les arts à l'école ?

Les arts ne sont certes pas les seules productions culturelles auxquelles l'école s'intéresse, mais les productions de ce type ont un caractère unique qui les rend indispensables en éducation. L'art, à l'école, peut être abordé de trois façons : comme activité de création, comme étude du patrimoine des œuvres, comme objet esthétique qui nous émeut. Le nouveau programme d'études demande que l'enseignement des arts tienne compte de ces trois perspectives : créer et produire, connaître et analyser, fréquenter pour ressentir. Mais je voudrais vous dire quelques mots sur cette troisième perspective, car la classe d'enseignement des arts n'est pas le seul lieu où l'élève peut vivre l'expérience esthétique, ni le spécialiste en enseignement des arts le seul qui pourrait l'y introduire.

---

3. *Le temps de lire, un art de vivre*, 1998.

Un jour, j'ai entendu Jean-Pierre Proulx, journaliste, professeur, président du Conseil supérieur de l'éducation, raconter quelles furent les expériences d'adolescent qui l'introduisirent dans le monde des arts : sa mère qui un jour décida de se mettre à la peinture, les affiches d'Air France placées sur un mur de classe reproduisant des voûtes d'églises romanes ou de cathédrales, les planches de grands maîtres de la peinture que faisait circuler de temps à autre dans sa classe un professeur de français, l'assistance fidèle aux concerts des Jeunesses musicales, les tableaux de peinture abstraite qu'exposait dans son bureau un autre professeur. Comme il semblait douter que des tableaux ne représentant pas la réalité puissent encore être de la peinture, le professeur lui rétorqua : « Oui, ce sont des taches, mais est-ce que ce sont de belles taches ? » Cette simple question, qui invite à changer le regard, vaut bien des heures de cours sur la nature de l'art.

J'ai retenu ce témoignage parce qu'il dit deux choses essentielles. C'est par la sensibilité seule qu'on parvient à pénétrer la vérité de l'art et non par la raison. L'art est le monde de la sensibilité et celui de la subjectivité. L'esthétique (du grec *aisthésis* : sensation) est le domaine de la sensibilité qui, tout autant que la raison, est la marque de l'humain. Être mis en présence des œuvres d'art, même sans mot, laisser jouer cette imprégnation, c'est découvrir sa sensibilité propre. Prendre conscience de cette idée peut pousser à transformer l'environnement d'une classe, d'une école pour nourrir, sans rien dire, l'imaginaire des élèves. On m'a parlé d'une enseignante qui chaque jour dans sa classe du primaire lit ou fait lire un poème, fait écouter un court morceau de musique, expose une reproduction d'une œuvre plastique ancienne ou actuelle. Je connais une école secondaire dont les couloirs gris, obscurs, sont illuminés par les peintures éclatantes des élèves de la concentration arts. Combien d'adolescents ont aussi découvert à travers le jeu dans une pièce de théâtre un monde de sentiments qui étaient en eux et qu'ils ignoraient ? La deuxième leçon que l'on peut tirer de l'expérience de Jean-Pierre Proulx est, elle aussi, capitale. L'intérêt personnel d'un enseignant pour les arts ou la littérature, alors qu'il n'est pas un spécialiste de l'enseignement de ces matières, est, pour les jeunes, le plus grand incitatif à s'y intéresser à leur tour.

Une approche culturelle des sciences

Je ne voudrais pas trop allonger cette lettre, mais je ne peux la finir sans vous parler d'une chose qui me préoccupe beaucoup, la lenteur avec laquelle progresse dans nos écoles la transformation de l'enseignement des sciences pour que la perspective culturelle y soit plus présente, non pas seulement dans le programme officiel, mais sur le terrain, dans le curriculum réel des classes.

Pourquoi des sciences à l'école? La réponse donnée à cette question déterminera le type d'enseignement qui y sera valorisé. Or, si vous vous basez sur les interventions qui depuis vingt ou trente ans ont, au Québec, déploré le peu de place accordée, à l'école, à la formation scientifique, vous conclurez que cet enseignement n'est indispensable que pour ceux qui veulent poursuivre des études universitaires en sciences ou en génie. Dans ces discours, la promotion de l'enseignement des sciences est mise seulement en rapport avec la nécessité de la relève scientifique et technique et jamais avec la culture de base en sciences et en techniques qui serait nécessaire pour tout citoyen.

Nous ne sommes pas le seul pays à avoir tenu un tel discours sur la nécessité des sciences. En matière d'enseignement des sciences, nous répétons habituellement ce que disent les Américains. C'est au début des années 1960 que s'est développé, surtout dans ce pays, ce type de discours qui devait déterminer la forme que prendrait l'enseignement des sciences à l'école. Le lancement du Spoutnik, réussi par les Russes en 1957, avant tous les autres, a produit une onde de choc dans les pays occidentaux et l'enseignement des sciences à l'école a alors été rendu responsable du retard scientifique constaté. Il fallait réagir. Les réformes de l'enseignement des sciences ont, sous cette pression, été confiées à des spécialistes disciplinaires. Leur but était de produire une élite capable de rattraper le retard scientifique.

Cette orientation prise par l'enseignement des sciences a permis de combler les retards, mais elle a produit aussi trois conséquences constatées chez nous, tout comme ailleurs. On a privilégié dans l'enseignement des sciences les aspects formalistes : initiation aux disciplines scientifiques et acquisition des méthodes pratiquées par le scientifique. On ne s'est pas intéressé aux connaissances scientifiques qui peuvent être utiles dans la vie de tous les jours, aux savoirs technologiques qui sont en relation avec la science, ni à la mobilisation des savoirs nécessaires pour que le citoyen puisse voir les conséquences de technologies ou d'inventions scientifiques (clonage, culture de tissus, OGM…). De plus, on ne s'intéresse sérieusement à l'enseignement des sciences qu'au moment où le jeune atteint la pensée formelle : à la fin du premier cycle du secondaire. La préoccupation de la place et de la nature de l'enseignement des sciences au primaire est du même coup abandonnée, négligée. Les contenus retenus dans le programme sont insignifiants, les enseignants les négligent, leur culture scientifique personnelle étant pauvre, sinon inexistante. Enfin, l'enseignement des sciences, de moyen de formation se transforme de fait en outil de sélection, il sert à trier ceux qui sont capables de poursuivre des études scientifiques spécialisées à l'université. Et l'on déplore que ceux qui manifestaient ces aptitudes au secondaire changent ensuite de voies, qu'ils « abandonnent », comme on dit. Et le terme choisi, dit tout.

Dans la décennie 1980, tant en Amérique du Nord qu'en Europe, cette conception de l'enseignement des sciences est remise en cause. On ne veut plus qu'il se réduise à la préparation aux carrières scientifiques. Les sciences et la technique sont des éléments culturels au même titre que les arts, les lettres, les institutions sociales. Elles font partie du bagage culturel que toute personne doit avoir pour comprendre et vivre dans nos sociétés modernes. Aussi à l'école de base (les neuf premières années d'études), l'enseignement des sciences et de la technique doit donc donner les assises du développement d'une culture scientifique et technique, même si cet enseignement paraît en rupture avec l'enseignement de type « disciplinaire » utilisé exclusivement jusqu'alors.

Et dans certains pays, des universitaires et des scientifiques prestigieux ont donné leur crédit à ce renouvellement de l'enseignement des sciences. En France par exemple, un prix Nobel de physique, Georges Charpack, descend de sa chaire et met, lui aussi, « la main à la pâte » pour renouveler l'enseignement des sciences au primaire. L'intérêt porté par ces personnalités prestigieuses à ce segment du système éducatif, celui de la petite école, donnait du même coup du relief aux efforts qui y étaient faits pour développer l'appropriation par les élèves d'une culture scientifique et technique. Il n'en a pas été de même chez nous, ou si peu.

Conscient de cette difficulté (lors des états généraux sur l'éducation, on ne justifiait l'importance de l'enseignement des sciences que par le recrutement de la relève scientifique et la science et la technologie n'étaient jamais citées comme des matières « culturelles »), j'avais demandé que Jean-Robert Derome, éminent professeur de physique de l'université de Montréal, estimé par des générations d'étudiants, fasse partie de notre groupe de travail. De plus, je connaissais son engagement constant à l'amélioration de la formation à tous les niveaux du système, parallèlement à sa carrière de scientifique et de professeur, et malgré tous les engagements qu'il avait déjà, il a accepté de faire partie de notre groupe de travail.

Mais la tâche est loin d'être achevée. Beaucoup de professeurs de sciences du secondaire ne vont encore « que d'une fesse », pour parler comme Montaigne, dans le sens des nouvelles orientations proposées et le programme d'études lui-même a encore un peu de mal à les articuler et à les concrétiser. Mais c'est au primaire que l'enjeu est le plus important : le succès ou l'échec d'un enseignement culturel des sciences se jouera là. Car, si on peut comprendre qu'au deuxième cycle du secondaire la pression des ordres supérieurs puisse pousser à introduire un enseignement disciplinaire des sciences, une telle pression n'a pas de raison d'être au primaire. Par ailleurs, traditionnellement, l'enseignement des sciences a été négligé au primaire, trop peu d'attention lui a été consacrée et l'importance qu'il faut accorder à des matières comme français ou maths sert souvent à cacher la peur que provoque cet enseignement. Or, y a-t-il, au sein même des réseaux d'éducation, un véritable mouvement de revitalisation de l'enseignement des sciences au primaire ? Je ne le vois pas. Ce sont des organisations extérieures au réseau d'éducation, musées, organismes de loisirs scientifiques qui s'en préoccupent. En disant cela, je ne cherche pas à dramatiser la situation, mais je trouve que le réveil tarde.

Lors de la crise des nouvelles mathématiques au début des années 1970, un programme de perfectionnement des enseignants, le programme PERMAMA (perfectionnement des maîtres de mathématiques), a été mis sur pied par l'université du Québec à Montréal. Des milliers d'enseignants se sont ainsi reconvertis aux mathématiques modernes et ont pu les enseigner dès l'école primaire. Nous nous glorifions de ce que les résultats de nos élèves dans des épreuves internationales de mathématiques soient excellents. Mais qui fait le lien entre ce succès et le programme PERMAMA ? Si le dixième des efforts mis ces dernières années pour promouvoir des pédagogies nouvelles à l'école avait été consacré à aider les enseignants du primaire à mieux maîtriser les programmes de sciences et d'histoire et géographie du nouveau programme d'études, notre école aurait fait de grands progrès dans la mise en œuvre réelle (le « curriculum réel » et non seulement le « curriculum officiel ») de ce programme.

J'arrête là cette lettre. Je pourrais prendre d'autres matières du programme d'études, notamment celui de l'éducation aux valeurs, et voir ce que leur éclairage selon la perspective culturelle ouvre comme horizon nouveau. Par ce regard, le paysage de ce que l'on a à faire est renouvelé et il s'anime. Mais vous pourrez poursuivre cet exercice vous-même. Et comme j'ai été long, je vous promets que ma prochaine lettre sera elle plus légère. Je vous montrerai des passeurs culturels en action.

LETTRE IV
L'idée dans l'esprit et le cœur

Une des figures mythiques qui ont enchanté mon enfance, comme celle de tout petit Basque né au pied des Pyrénées, est celle du passeur. La nuit, chaussé de sandales légères, à travers les sentiers de montagne, il faisait passer la frontière aux marchandises, à la barbe des douaniers et, pendant la guerre, les juifs et ceux qui refusaient de répondre à la conscription pour un travail obligatoire en Allemagne, à la barbe des soldats allemands. Faire le passeur était même devenu un jeu réel et parfois dangereux pour nous, enfants d'un village situé à la limite d'une France coupée en deux, d'un côté, celle occupée par les Allemands, de l'autre, celle d'un pays encore libre. Il ne se passait pas de semaine sans qu'avec mes camarades nous ne passions, en France libre, des lettres et des mandats cachés dans nos doublures et des colis dans nos sacs.

Est-ce à cause de ces moments intenses d'excitation vécus alors, la figure du passeur m'a toujours paru une des grandes figures de l'humanité. Je l'ai placée dans mon panthéon personnel à côté de celle de l'aventurier, du bâtisseur, du savant et de l'artiste. Faire passer un monde dans un autre, c'est l'essence même de certains métiers, celui de l'éditeur par exemple, mais aussi du vôtre, celui de l'enseignant ? L'enseignant est un passeur culturel, et un programme d'études, dont la perspective culturelle est plus affirmée, le rappelle. Mais cela ne saurait suffire. On ne passe pas la culture comme on passe des colis. On n'est pas passeur culturel en appliquant seulement un programme d'études plus culturel. C'est déjà quelque chose, mais il y faut un « plus », un esprit, une attitude qui sait faire feu de tout bois et faire entrevoir aux élèves, à certains moments et dans certaines situations, des perspectives qu'ils n'oublieront jamais parce qu'elles les placent de plain-pied dans l'univers de la culture.

La perspective culturelle n'est pas d'abord dans le programme. Elle est d'abord dans le cœur et l'esprit des enseignants qui partagent cette perspective, la rendent vivante aux yeux de leurs élèves, en montrant comment elle répond à leur attente de sens, à leur besoin de comprendre, comme à ceux de tout homme. Et c'est pourquoi les passeurs culturels sont aussi, toujours, des éveilleurs d'esprit. Mais comment puis-je expliquer simplement ces choses sans les illustrer ? Et quand on me demande de le faire, c'est tout naturellement des expériences de ma vie d'élève qui me viennent à l'esprit. Mon maître du primaire fut le premier et le meilleur des passeurs culturels que j'ai connus. Par la suite j'en eus d'autres et c'est ce « plus » qu'ils avaient tous qui m'a donné l'envie d'exercer, à mon tour, leur métier, mais comme eux. Je ne sais pas si leurs programmes d'études étaient culturels ou non, mais ils avaient tous ce don de nous faire saisir, à des moments inattendus, que ce que nous apprenions à l'école était rattaché à des choses, loin de nous dans le temps ou l'espace, et pourtant encore présentes, à ce moment-là, là ou nous étions. Cette condensation du temps et de l'espace me donnait le vertige, le même que celui que nous procurait le couvercle du fromage La vache qui rit, qui déployait à l'infini une vache ayant à son oreille une boîte sur laquelle une vache a à son oreille… Ces moments ont illuminé ma vie d'élève, ils m'ont inspiré dans mon métier d'enseignant, m'ont nourri encore bien longtemps après. Ils m'ont donné aussi à penser. Je crois que leur récit, plus qu'un exposé didactique, pourra vous aider à comprendre ce qu'est « un passeur culturel ».

Autour des mots

Héritage de mots, héritage d'idées, c'est le titre d'un livre savant que j'ai lu plus tard, mais dont l'essentiel me fut révélé à sept ans.

Un jour, le maître nous fit observer comment un vieux berger analphabète du village comptait ses moutons quand il les rentrait dans sa bergerie. Il avait des glands de chêne placés sur une soucoupe et au moment où les bêtes rentraient, il faisait correspondre à chaque tête du troupeau un gland qu'il mettait dans une petite sacoche. Et quand, pour parler comme aujourd'hui, en savant, il constatait que l'ensemble des moutons correspondait à l'ensemble des glands, il savait que son troupeau était complet.

Et le maître de nous faire remarquer que le berger dénombrait son troupeau selon la méthode de l'échange d'un contre un, alors que nous, pour faire la même opération de dénombrement, nous comptions les moutons. Et pour les compter nous n'avions besoin ni de sac ni de glands, nous utilisions, ce qui était bien plus simple, la suite des nombres que nous avions apprise. Chaque nombre était une collection d'unités, formée en augmentant d'une unité la collection qui la précédait : 14 égale 13 unités plus un. Et le maître d'ajouter qu'avant d'avoir inventé cette manière de compter, on dénombrait les ensembles à la manière du berger, en utilisant des petits cailloux à la place des glands. La preuve ? Nous faisions du « calcul », mais ce mot venait du latin *calculus*, petit caillou, et ce mot rappelait encore une manière de compter du temps, analogue à celle du berger. Et d'ajouter encore que nous entendrions parler, un jour ou l'autre autour de nous, de « calculs » biliaires ou rénaux et qu'il s'agissait aussi dans ces cas de petits cailloux de bile ou d'urine. Vous devinez le carambolage d'idées que peuvent produire ces simples remarques dans une tête d'enfant : le passé et le présent sont liés, on pratique encore ce qui se pratiquait dans le temps ; on a depuis inventé une autre manière de compter, plus simple et c'est à l'école qu'on l'apprend ; et puis, il y a dans les mots des histoires du passé. Une autre fois, je ne sais plus dans quelles circonstances, il nous fit chercher dans nos dictionnaires le sens du mot « ostra-cisme » et son étymologie. Ce mot venait du grec et voulait dire « coquille d'huître » et effectivement nous appelions bien les éleveurs d'huîtres d'Arcachon, des « ostréiculteurs ». Mais quel rapport y a-t-il entre le bannissement et les huîtres ? Et là, il nous parla d'Athènes, de cette démocratie où chaque citoyen pouvait, à des moments déterminés, voter pour la personne dont le bannissement hors de la ville lui semblait nécessaire au bien public. Il inscrivait alors sur une coquille d'huître, qu'il jetait dans un enclos, le nom de cette personne. Héritage de mots, héritage d'idées.

Et puis, il nous faisait aussi apprendre des poèmes. J'ai cru pendant longtemps que c'était seulement pour nous faire exercer la mémoire, mais un jour, où de lourdes difficultés me pesaient sur les épaules et que je m'encourageais moi-même à continuer, du fond de ma mémoire sont montés ces premiers vers d'une fable de La Fontaine :

> Dans un chemin, montant, sablonneux, malaisé,
> Et de tous les côtés au soleil exposé
> Six forts chevaux tiraient un coche,
> Femmes, moine, vieillards, tout était descendu.
> L'attelage suait, soufflait, était rendu.

et là j'ai compris qu'un poème, appris enfant, on l'a en soi et qu'il peut revenir pour mieux se comprendre et ne pas désespérer.

Faire apprendre par cœur aux enfants quelques grands poèmes, c'est un geste généreux de passeur culturel. L'école et votre programme de français privilégient l'analyse, la recherche de la signification du poème. Mais un poème appris vit en nous dans une intimité qui nous permet de le comprendre à des niveaux bien plus profonds que ceux de l'explication de textes quand on se le récite plus tard dans un moment heureux ou grave de l'existence. Ces mots appris comme ceux d'une chanson gardent et même augmentent avec le temps leur capacité de dire la profondeur de la réalité et de l'existence que les concepts nous font oublier.

Et puis, mon maître avait aussi compris, et certainement sans en avoir jamais entendu parler, la loi d'Oscar Wilde, selon laquelle la vie imite l'art plus que l'art n'imite la vie. Avant le peintre Turner, disait Wilde, il n'y avait pas de brume à Londres. Et il ajoutait qu'après la peinture d'un des ponts de Londres par Monet, le pont de Charring, personne ne pouvait plus voir cette brume sans ses irisations de rêve. Les textes de nos lectures n'étaient pas ceux de grands auteurs, c'étaient des textes d'écrivains régionalistes. Ces textes nous parlaient des semailles, des vendanges, de la chasse à la palombe, de l'âne, du jeu de pelote, des contrebandiers... Mais ces lectures changeaient notre regard sur notre réalité. Nous ne la voyions plus de la même façon. Elle était comme exhaussée puisqu'on en parlait dans les livres et certains de ses aspects nous étaient comme révélés. Mais surtout, par ce jeu entre proximité et distance que nous procuraient ces lectures, nous entrions subrepticement dans un monde plus riche que le nôtre puisqu'il nous le faisait voir avec d'autres yeux. Nous entrions dans l'univers de la culture qui ne nous coupait pas de notre réalité, mais nous la faisait comprendre et aimer. Une telle expérience, vécue jeune, peut transformer une existence.

Autour du temps

Certains contempteurs de l'école me font toujours sourire. À les croire, les deux critères d'une formation réussie donnée par l'école sont la connaissance des règles de l'accord du participe passé et celle des dates de notre histoire nationale. Ils ignorent sans doute que c'est Marot qui a inventé ces règles en imitation de l'italien et que les lettrés de son temps s'en servaient entre eux comme un code de distinction. Il serait bien surpris de voir que l'école s'en est servie pour discipliner des populations entières d'enfants et de jeunes. La connaissance de ces règles est à la fois nécessaire et futile. Nécessaire, parce que l'utilisation de ce code est un marqueur social. Futile, parce que l'utilisation du « que » à la place du « dont » est une faute bien plus grave et que l'école a aussi des choses bien plus importantes à faire apprendre.

Il en est de même pour les dates, non pas qu'il ne faille pas en apprendre — et de toute façon celles qu'il faut absolument connaître sont peu nombreuses, une douzaine tout au plus pour l'histoire commémoration : 1534, 1608, 1759, 1763, 1837, 1840, 1867, 1914, 1939, 1960, 1976, 1982, et il ne suffit pas de les apprendre, il faut les connaître et savoir leur signification —, mais il est bien plus important que se constitue dans l'esprit de l'élève un cadre temporel qui serve à situer les choses dans le temps. Dans l'école primaire de mon enfance, une frise du temps courait le long du mur, les grandes époques historiques et leur durée y étaient inscrites et c'est sans arrêt que nous étions conviés à situer dans cette trame du temps les faits historiques, mais aussi l'auteur du poème ou celui de la découverte scientifique. C'est ainsi que progressivement se constituait en nous ce cadre temporel sans lequel on ne peut rattacher le présent au passé, car comment retenir un fait passé si vous ne savez pas où le situer dans le passé ? Je ne sais pas si les programmes d'études du temps demandaient explicitement que soit construit ce cadre temporel, et cela prend des années, mais je sais que tous les passeurs culturels que j'ai connus durant ma scolarité le faisaient naturellement. Et leur action prenait encore pour moi plus de sens quand elle venait d'enseignants qui n'étaient pas des professeurs d'histoire.

Quand, avec le recul, je regarde ce que faisaient ces passeurs culturels pour développer en nous le sens du temps de la longue durée, je constate que leurs actions allaient dans une double direction : rendre palpable l'épaisseur du temps, rendre explicites les liens que des productions différentes d'une même période pouvaient avoir entre elles. Je me souviens de ce cours d'astronomie où le professeur nous avait montré comment nos représentations actuelles du cosmos, de l'espace, du temps étaient le résultat de plus de trente siècles d'observation, d'hypothèses, d'explication. J'ai saisi alors l'épaisseur du temps plus que je ne l'avais fait dans les cours d'histoire où empires et dynasties se succédaient. Je me souviens aussi de ce professeur qui nous fit prendre conscience de façon impromptue, sans que cela soit directement en rapport avec son cours, que Mozart vivait à l'époque de la Révolution française et que l'air du « Viva la libertà » de son *Don Giovanni* n'était pas là pour rien. J'ai saisi alors ce qu'est l'esprit, le tissu d'une époque et pourquoi une époque se distingue d'une autre.

Savoir saisir l'occasion

Les passeurs culturels dont je vous parle n'étaient pas des cuistres, ils ne faisaient pas de l'esbroufe, n'essayaient pas de passer pour « cultivés ». Ils avaient le pied léger, l'esprit vif et savaient saisir l'occasion pour nous conduire ailleurs. Nous vivions ces moments comme des échappées de lumière. Je voudrais vous raconter ce que fut pour moi la plus grande leçon d'histoire de ma vie. Je l'ai eue au primaire. Je ne suis pas sûr que notre maître l'avait préparée, ni la veille ni le matin même.

C'était donc la guerre. Notre village était occupé régulièrement par des unités de l'armée allemande. La dernière, une unité de transport avec des chevaux, venait de s'installer un peu avant la fin de l'année scolaire. Les soldats avec leurs bêtes étaient répartis dans les fermes. Pour organiser la cuisine de la troupe, notre école avait été réquisitionnée. Nous avions dû déplacer notre classe dans la seule maison qui avait une salle un peu grande, le presbytère, situé en plein milieu de la route qui traversait le village. Tous les jours, en fin de matinée, les soldats se réunissaient pour le rapport sur la place du village. À la fin du rapport, le jeune lieutenant qui commandait l'unité traversait le village sur la route principale, en grande tenue, l'épée au côté, monté sur un cheval arabe, suivi par deux de ses sous-officiers qui eux se contentaient de monter des percherons.

Ce jour-là, le maître nous fit prendre nos livres d'histoire et descendre dans la rue avant le passage de l'officier. Assis sur le trottoir, les pieds dans la rue, nous avions à lire en silence, chacun pour notre part, deux pages de ce livre, deux pages qu'il nous indiqua. Le titre de ces pages était « Les invasions barbares » et le titre de la gravure qui illustrait une de ces pages était « Attila et les Huns ». Nous n'avions guère envie de faire les fanfarons, car nous avions conscience d'être, par ce geste, appelés à résister.

Un moment plus tard, nous entendons les soldats s'ébrouer à la fin du rapport et le lieutenant et ses acolytes descendre la rue. Arrivé à notre hauteur, il s'arrête et demande ce que nous faisions là. Personne ne répond. Il descend de son cheval et se baisse pour voir ce que nous lisions. Apeurés, sans nous concerter, instinctivement, nous cachons les pages avec le coude. Au moment où il allait prendre un des livres, le maître s'avance vers lui, calme. Il redresse la tête, il était petit de taille et l'officier, lui, grand. Il le regarde dans les yeux et lui dit : « Vous nous avez pris notre école. Nous sommes mal installés à l'intérieur, alors je les ai amenés dehors et leur ai demandé de lire la leçon que je m'apprête à leur expliquer ensuite. Cette leçon porte sur les invasions de la Gaule, venues de l'Est. » L'officier n'a rien dit, il s'est retourné, est remonté sur son cheval, a fait demi-tour sans terminer son périple habituel. À la rentrée scolaire, nous avions de nouveau notre école.

Au départ de l'officier, le maître nous fit fermer le livre et nous envoya déjeuner chez nous. Au retour, dans l'après-midi, nous eûmes une leçon d'histoire, la plus magistrale que j'aie jamais eue. Nous étions rentrés dans la salle qui nous servait de classe. Sur les murs étaient accrochées des cartes géographiques de France, d'Europe, du monde. Il nous fit faire des sauts à travers les pages de notre livre d'histoire en nous ramenant sans cesse sur les cartes, pour nous raconter l'histoire des migrations et des invasions et comment elles nous avaient touchés. Il parla des Basques, cette peuplade à la langue d'origine mystérieuse que nous parlions (il était lui-même l'auteur d'une des toutes premières grammaires basques) et qui vinrent du Caucase à travers l'Europe s'établir huit mille ans avant notre ère dans ce coin de pays. Il nous parla des Romains dont l'empire s'étendit de l'Écosse à l'Afrique du Nord et qui nous avaient laissé dans le village même ce camp militaire sur lequel nous jouions. Il nous parla des barbares venus de l'Est qui envahirent la Gaule et détruisirent Rome et des barbares venus du Nord, les Vikings, qui ravagèrent les côtes d'Europe. Il nous parla des musulmans qui arrivèrent jusqu'à Poitiers, puis furent chassés par Charlemagne dont l'arrière-garde commandée par Roland fut détruite à Roncevaux, à quelques kilomètres de chez nous, par des pillards basques et non, comme le dit la légende, par des Maures. Il nous parla de la foi qui mit sur les routes d'Orient les croisés et les pèlerins sur le chemin de Compostelle qui eux s'arrêtaient à notre village avant le franchissement des Pyrénées. Il nous parla de l'aventure de Christophe Colomb dont les caravelles comptaient en majorité des marins basques. Il nous parla de Napoléon et de ses guerres de conquête qui l'amenèrent en Russie, puis en Espagne par la route qui existait toujours, une vieille route romaine que nous appelions la route Napoléon. Et les traces de balle sur la pierre du porche de l'église témoignaient encore des combats qu'ils durent mener à leur retour d'Espagne contre les anglais de Wellington.

Soudain, ce qui nous arrivait, cette occupation par des soldats allemands, prenait un tout autre sens. Ce n'était qu'un épisode de plus de ce qui agitait les hommes et les conduisait hors de chez eux, l'argent, les richesses à conquérir, mais aussi la découverte et l'attrait mystérieux pour l'ailleurs. Notre angoisse était conjurée, car nous comprenions que les flux guidés par la rapine étaient suivis de reflux. Il écrivit au tableau un poème, je pense que c'était un sonnet, était-ce d'Heredia ? Nous le recopiâmes. Il nous demanda d'apprendre la première strophe pour le lendemain. Un vers, était-ce le premier ? chante toujours encore dans ma tête :

Le cheval d'Alméric hennit dans l'air romain

Leçon de résistance. Leçon d'histoire. Leçon de ce qu'est un enseignement culturel. Ce sont des leçons que l'occasion a fournies et qu'on n'oublie jamais. Savoir saisir l'occasion, c'est le talent des grands passeurs culturels. Il aurait été surpris si on l'avait appelé tel. Il se voyait sans doute comme un simple artisan, tout comme l'ébéniste ou le forgeron, tous héritiers d'une longue tradition de pratiques. Mais dans tous ces métiers d'artisans, certains sont de véritables maîtres artisans. Ils se distinguent des autres par la maîtrise de leur pratique, mais surtout parce qu'ils innovent. C'était le cas de mon maître. Comme tous les innovateurs, il était cultivé, curieux, observateur attentif, passionné par son métier, inventif. Plus tard, j'ai lu ce qu'ont fait de grands pédagogues, qu'il ne connaissait certainement pas, les Steiner, Montessori ou Freinet... Mais dans ces lectures, je ne faisais que découvrir ce que je savais déjà. Dans mon enfance, dans ma petite école, j'avais déjà vu leurs principes pédagogiques en action.

Sans doute cette occasion qu'a su saisir mon maître était exceptionnelle et sa réponse fut, elle aussi, exceptionnelle, à la hauteur de l'événement. Mais il n'est pas de semaines qui ne puissent livrer, à un passeur culturel attentif, son lot de nouvelles, d'événements, de lectures qui, comme un éclair, illuminent soudain un cours.

Autour des personnes et des histoires

S'il est des matières qui ne font appel ni à des histoires ni à des personnages, ce sont bien les mathématiques et les sciences. L'image de ces deux domaines, telle que représentée dans les manuels, est celle d'un savoir achevé, tombé du ciel, armé de pied en cap. C'était ainsi de mon temps, ce le fut aussi du vôtre. L'image d'austérité, de sérieux de ces matières par rapport aux autres doit beaucoup à cette simple représentation. Or, on ne conçoit pas qu'on puisse enseigner dans les écoles la littérature, l'histoire, les arts sans rencontrer des auteurs, des personnages, des créateurs du passé, alors que cette règle n'est pas valable pour les mathématiques et les sciences. Cela doit bien avoir une explication.

Ce statut particulier accordé à ces deux matières correspond à une conception de la nature de la science qui s'est forgée à la fin du dix-neuvième siècle, la conception positiviste. Ce fait illustre encore que le curriculum d'études est un construit social. Dans cette conception, la science est le seul lieu de certitude et de vérité parce que son ambition n'est plus de s'interroger sur les causes des phénomènes mais de chercher à établir mathématiquement des lois qui relient les faits régulièrement observés. La physique devient dès lors la science reine, puisqu'on y trouve, plus que dans toute autre, la fusion entre « les lois de la nature » et les mathématiques. Et, à l'intérieur même de la physique, la mécanique constitue la quintessence même de cette union. Depuis cette époque, la conception que les scientifiques eux-mêmes se font de la science a bien changé. Sa certitude est moins assurée et la biologie est en train de détrôner la physique de sa place de représentation canonique de la science. Mais pensez-vous que les choses ont changé dans nos écoles ? que la prééminence accordée à ces matières a disparu ? que nous ne traînons pas encore dans nos têtes cette conception positiviste de la science ?

Les enseignants de mathématiques et de sciences que j'ai eus subissaient, plus que ceux d'aujourd'hui, la pression de la pensée positiviste qui régnait encore sans contestation possible à l'école. Et pourtant au cours de mes études, j'ai rencontré quelques professeurs, rares certes, qui résistaient à l'idéologie dominante de la présentation d'une science achevée et nous faisaient entrevoir une science qui se fait. Ces passeurs culturels m'ont alors permis de prendre conscience du processus vivant de la construction de la science. Je n'ai jamais oublié ces quelques occasions lumineuses où ils nous ont menés à ces moments d'histoire qui donnent à voir la pensée vive à l'œuvre.

C'est Thalès mesurant, sans y monter, une tour par la hauteur d'un homme, car il saisit que cette hauteur est, par rapport à celle de l'homme, dans la même proportion que la longueur de l'ombre de la tour par rapport à celle de l'homme. C'est Gauss, enfant, qui découvre la règle de la somme des termes d'une progression arithmétique. Afin d'exercer ses élèves au calcul mental, le maître leur demande quelle est la somme de 1+2+3+4+5+6+7+8. Gauss répond instantanément 36. Au maître étonné, il montre qu'il a trouvé plus commode de regrouper les nombres par couple dont la somme est toujours 9 (1+8), (2+7), (3+6), (4+5). Ce sont les pythagoriciens qui, frappés pourtant par le rapport des nombres et des accords musicaux — les cordes émettent des sons dont la hauteur dépend de la longueur de la corde vibrante —, voient leur intuition géniale — les nombres gouvernent le monde — dégénérer en superstition parce qu'ils restent prisonniers d'une conception mystique du nombre. Et il faudra attendre mille ans pour que Galilée réintroduise le nombre et la mesure et inaugure la science moderne. C'est ce même Galilée, méditant depuis des mois sur la chute des corps, qui, voyant les lustres de la cathédrale de Pise suspendus à des chaînes d'égale longueur se balancer au même rythme, qu'ils soient légers ou lourds, a soudain l'intuition que les corps eux aussi, quels que soient leurs poids, tombent à la même vitesse. C'est Perrier rendant compte à son beau-frère Pascal de la manière dont il a pu confirmer la relation entre l'altitude et la pression atmosphérique en faisant mesurer simultanément la hauteur du mercure dans un tube au pied du Puy de Dôme, à son milieu, à son sommet. C'est Newton qui brise la représentation de la lune imposée par la croyance, celle d'un disque lumineux glissant dans le ciel, pour se la représenter de façon tout autre, celle d'un corps comme les autres, parcourant une trajectoire courbe devant obéir à la force centrifuge et s'éloigner par la tangente si quelque chose ne la retient pas dans son orbite, l'attraction. C'est l'explosion, au dix-septième siècle, des découvertes mathématiques obéissant à leur logique de développement propre et qui, pourtant, deviennent des outils capables de rendre compte de la multiplicité et de la variété des rapports constatés dans le monde : le calcul infinitésimal et les rapports des variations continus de l'attraction, le calcul différentiel et les rapports des phénomènes de la chaleur ou ceux des ondes lumineuses et sonores, puis plus tard, le calcul des probabilités et les rapports des phénomènes de l'hérédité, le calcul statistique et les rapports des phénomènes de libre arbitre étudiés par les sciences humaines. C'est Mendel observant patiemment pendant dix ans les résultats de croisement de pois lisses et de pois rayés et découvrant les premières lois de la génétique. C'est Maxwell qui, à l'issue d'un long travail d'unification des équations des lois d'électricité et de celles de l'optique, déduit, par simple calcul, l'existence d'ondes que, vingt-cinq ans plus tard, Hertz découvre réellement.

Rien ne plaît plus aux enfants et aux jeunes que le récit. Je le sais, vous ne pouvez passer vos journées à leur raconter des histoires. Il faut bien qu'ils apprennent ! Mais il arrive aussi qu'ils apprennent par les récits. Et s'ils ne choisissent pas une carrière scientifique, ils oublieront les constructions formelles, les procédures, mais ils se souviendront longtemps des problèmes concrets que le scientifique voulait résoudre, les difficultés qu'il a rencontrées, les raisons qui les ont fait naître et quelle fut la solution construite. Ces courts récits qui émaillaient les cours, par ailleurs austères, de ces passeurs culturels, n'étaient pas dans les manuels du temps. Ils étaient pour nous, ou du moins ils furent pour moi, un cadeau.

La générosité du passeur culturel

Aussi quand je repense à eux, c'est d'abord l'image de leur générosité qui me revient. Le métier d'enseignant est, vous le savez bien, un métier de générosité puisque vous donnez à des jeunes des armes avec lesquelles, un jour, ils vous dépasseront. Mais on ne peut se percevoir passeur culturel et répondre à l'exigence que cela suppose sans faire preuve d'encore plus de générosité. Il faut semer ces graines, inutiles pour l'examen (est-ce que ça compte pour l'examen ?) et qui ne trouveront pas toujours le terrain favorable pour pousser. Ces enseignants prenaient des chemins de traverse — le passeur les fréquente toujours plus que les passages obligés — et dans les marges du cours, sans en avoir l'air, ils nous glissaient un cadeau, par pure générosité, sans être sûrs que la graine germerait.

Qui aurait dit que l'histoire du berger que je vous ai racontée m'amènerait un jour à dévorer un livre d'accès difficile *Les étapes de la pensée mathématique* de Brunschwig parce que, dès les premières pages de ce gros livre, l'auteur relate la manière de compter son âge d'une vieille andalouse laquelle me rappelait celle de compter les moutons du berger ? Et qui aurait dit alors que ces courts récits où l'on voit des hommes réfléchir, inventer, chercher des solutions constitueraient pour moi des leçons inoubliables qui me serviraient toute ma vie ? La leçon de Thalès : on peut connaître un objet par un autre objet avec lequel il a un rapport ; la leçon de Gauss : découvrir c'est voir les mêmes éléments dans une autre configuration ; la leçon des pythagoriciens : les meilleures intuitions peuvent dégénérer ; la leçon de Galilée : le fortuit n'est aperçu que par un esprit préparé ; la leçon de Perrier : pas de conclusion assurée sans contrôle des variables ; la leçon de Newton : les représentations sont

tout autant des obstacles que des outils de saisie du réel ; la leçon
des inventions mathématiques : les mathématiques sont l'art de
donner le même nom à des choses différentes, c'est un langage ;
la leçon de Mendel : l'observation patiente, méthodique, soutenue
par une question, conduit à des résultats ; la leçon de Maxwell : la
synthèse n'est pas seulement séduisante pour l'esprit par sa simplicité,
elle peut aussi être féconde et produire de nouvelles connaissances.

Chaque fois que j'évoque ces faits, je constate comment est
restée vive en moi la mémoire de ces moments d'éblouissement
intellectuel de mon enfance et de ma jeunesse et comment ces
enseignants, tous maintenant disparus, sont encore vivants pour
moi. Ils ne se sont pas contentés de « transmettre la matière », comme
on dit dans les écoles. Ils avaient quelque chose de plus, un esprit,
une âme, l'esprit et l'âme du vrai passeur culturel. Et en étant des
passeurs culturels, mais passeurs culturels de ce type, ils étaient déjà
des éveilleurs d'esprit. C'est cet autre rôle de l'enseignant que
j'aborderai dans mes prochaines lettres.

LETTRE V
Ouvrir des espaces pour l'éveilleur d'esprit

Dès ma première lettre, je vous ai dit la nature de la réforme en cours. C'est d'abord une réforme du curriculum d'études et non, comme on la présente souvent, une réforme pédagogique. Ce déplacement d'accent n'est pas sans conséquence. Il porte à négliger le soutien qui serait nécessaire pour que l'orientation nouvelle du contenu des différentes matières du programme, la perspective culturelle, se traduise effectivement dans le « curriculum réel », le programme d'études appliqué dans la classe.

Mais ce n'est pas là le seul changement du curriculum d'études que proposa notre groupe de travail. Il y en a d'autres, qui peuvent conduire à des changements de pratique, changements touchant plus particulièrement le programme d'études du secondaire et certaines pratiques de ce secteur. On peut donc comprendre que cela soulève des résistances. Il y a bien un réel fond aux débats que suscite la réforme du curriculum d'études. Mais cette réforme demande-t-elle, comme certains la présentent, un changement radical de philosophie pédagogique et de conception de ce qu'est l'apprentissage ? Et ce faisant, veut-elle imposer dans les classes, comme disent certains de ses opposants, des méthodes nouvelles qui seraient inefficaces, tout comme seraient fausses les théories d'apprentissage sur lesquelles elles se fondent ?

Je n'ai pas l'intention de rentrer ici dans ces débats ni non plus de cautionner certaines présentations de la réforme faites par le ministère. Mon propos sera autre. J'essaierai de vous dire, simplement, les préoccupations qui furent les nôtres en proposant quelques changements dans l'économie générale du curriculum d'études, pourquoi ces propositions, mises ensuite en œuvre par les concepteurs de programmes dans le programme d'études, ont malgré quelques maladresses toujours leur raison d'être, pourquoi elles correspondent à des besoins de formation des jeunes d'aujourd'hui et pourquoi ces dispositions peuvent vous permettre d'exercer, mieux que ne le permettait l'ancien programme, votre rôle d'éveilleur d'esprit. Nous n'avions pas demandé seulement que la perspective culturelle soit présente dans toutes les matières du programme d'études, nous avons aussi proposé trois autres changements. Deux d'entre eux touchaient les contenus mêmes du programme d'études : nous recommandions que des savoir-faire fassent aussi partie des objets d'apprentissage et que les contenus des différentes disciplines du secondaire soient réorganisés. Quant à la troisième recommandation, la plus significative quant à ses conséquences sur votre travail, elle demandait d'abandonner deux dispositifs du curriculum d'études du temps, des modes de détermination du contenu des programmes et des formes d'évaluation, qui tendaient à vous maintenir dans une situation d'applicateur et non de professionnel. Il peut y avoir des réformes d'éducation qui visent à implanter systématiquement dans les écoles un ensemble de pratiques inspirées d'une théorie d'apprentissage. La réforme de l'école genevoise est peut-être de ce type. Cela n'a pas été, et n'est pas, la nôtre, qui est une réforme du curriculum d'études. L'universitaire qui, pour embarrasser Pauline Marois, lui a demandé récemment ce qu'elle connaissait du socioconstructivisme, s'est-il rendu compte du ridicule dont il faisait preuve en montrant son ignorance de la nature et des raisons d'une réforme qu'il aurait dû connaître ?

Une réforme de curriculum d'études n'est pas l'application d'une théorie, comme peut l'être une réforme pédagogique, celle par exemple de l'enseignement de la lecture. Une réforme de curriculum d'études est un effort d'adaptation de l'appareil de formation afin de répondre à des besoins nouveaux ou corriger des lacunes qui paraissent évidentes. Aussi, on ne peut parler de la pertinence de la réforme du curriculu_____ ralement des chantiers ouverts par les éta_____ ni porter un jugement sur ce qui en est_____ se rappeler, le « projet », l'élan vers le fut_____ « situation », ce fond de contingenc_____ d'organisation du système de l'éduca_____ auxquelles il fallait trouver des réponses_____ qu'on projetait de changer. Or, si je de_____ ce qu'était ce projet, voici ce que j'en dirais : mettre en place dans le curriculum d'études des éléments qui permettront à l'élève de développer davantage l'exercice de la pensée et à l'enseignant l'exercice du jugement dans la pratique de son métier. Ce sont aussi là des conditions de travail propices à l'éveilleur d'esprit. Ces formules lapidaires méritent évidemment un peu plus de développement.

Transmettre des savoirs durables

Comment, face à une situation à la fois d'accroissement exponentiel et de renouvellement rapide des savoirs, peut-on encore penser consacrer quelques années de sa vie à étudier en s'imaginant pouvoir monnayer ses connaissances dans les décennies suivantes ? C'est la question que se posaient autour des années 1990 tous les pays entreprenant une réforme de leur curriculum d'études. Ils étaient plus d'une vingtaine, membres de l'OCDE. Un observatoire de ces réformes y avait d'ailleurs été institué. Pour faire face au contexte nouveau, l'école devrait, pensait-on, transmettre aux élèves les connaissances de base et les méthodes qui leur permettraient de continuer à apprendre, tout comme l'impulsion qui les pousserait à le faire. Mais quelles sont les matières qui doivent constituer cette base de connaissance et, dans les matières elles-mêmes, quelles sont les notions de base à faire maîtriser qui seront comme les racines ou les troncs où pourront venir se greffer les connaissances nouvelles ?

Quels sont aussi les méthodes, les savoirs procéduraux, les savoir-faire qui permettent de continuer à apprendre et que l'école doit stimuler : la mémoire, l'attention, la pratique du va-et-vient entre le concret et l'abstrait, l'analyse, la synthèse, l'argumentation, la recherche de l'information…? Et comment se développent ces habiletés? Comment favoriser aussi des attitudes qui donnent envie de continuer à apprendre? Par l'appel à la curiosité intellectuelle? par les expériences qui donnent le plaisir de la découverte? par la joie que procure la compréhension ou la maîtrise d'un sujet?

La question de la nature des « savoirs durables » que l'école doit transmettre était aussi, dans ces années-là, très présente chez nous. Le Conseil supérieur de l'éducation en traitait — il avait déjà, dès la fin des années 1970, introduit la notion de « formation fondamentale » —, des colloques s'y intéressaient, un regroupement d'associations d'enseignants de diverses disciplines menait des travaux sur cette question. Voici comment, à mon tour, au milieu des années 1980, je l'abordais dans une conférence qui s'adressait à des enseignants. La manière de le faire m'avait été suggérée par cette remarque de Renan : « Il est vrai que les choses apprises disparaissent en grande partie, la marche que l'esprit a faite par elles reste ». Quelle est donc « cette marche de l'esprit » qui reste?

« Tout le monde s'accorde pour dire que ce ne sont pas les connaissances, ni leur nombre, qui sont l'indicateur du développement de l'esprit. Un esprit développé est plutôt un esprit ayant des aptitudes et des attitudes intellectuelles assez générales, formées pourtant à partir des exercices permettant la maîtrise des savoirs. Suivant la formule classique sur la culture, la formation intellectuelle " c'est ce qui reste quand on a tout oublié ".

« Toute la tradition pédagogique depuis des siècles sait que la formation n'est pas dans l'accumulation des connaissances. Mais faisons l'exercice de ce que nous a laissé l'école pour repérer ces savoirs qui restent. Si, dans mon propre cas, je regarde en arrière, qu'est-ce que je trouve?

« Au niveau le plus général, je trouve des choses aussi élémentaires que la maîtrise de soi : apprendre à écrire correctement, apprendre à résoudre un problème dans un temps limité, apprendre à travailler en silence, ce sont là des exercices de maîtrise de soi ; l'esprit critique : savoir se surveiller, savoir retourner un problème dans tous les sens, repousser une solution afin de mieux l'examiner, se défier de soi, ce qui conduit à prendre en considération l'opinion d'autrui ; l'habitude de l'analyse : considérer le monde et les situations comme complexes, en saisir les éléments dont il faut découvrir les liens pour procéder à de nouvelles synthèses, etc.

« À un niveau moins général, ce qui reste, ce sont des techniques plus ou moins larges requises lors de la formation scolaire : techniques d'exploration, de formation et de vérification d'hypothèses, développées entre autres par la pratique de la méthode scientifique ; techniques d'établissement de diagnostic à partir d'indices ou de symptômes, techniques qui ne se réduisent pas aux premières, et que la pratique des sciences humaines développe ; techniques de validation des données : contrôle par échantillonnage, recoupements…; techniques de lecture : savoir lire vite, savoir lire en sautant des passages tout en suivant ou en devinant la ligne générale du texte ; savoir disposer ses notes en ordre ; savoir parler, non pour s'exprimer mais pour s'expliquer : s'exprimer, c'est facile, mais savoir ordonner les idées, calculer les transitions, revenir sur un point et l'aborder selon d'autres perspectives afin de l'éclairer aux autres mais aussi à soi, cela est difficile et demande une longue pratique, etc.

« À un niveau encore moins général, il me reste des notions, des concepts empruntés à des disciplines que j'ai fréquentées : mathématiques, biologie, sociologie, philosophie, linguistique, etc. Le reste qui, par la suite, n'a pas eu l'occasion de s'exercer dans une profession est oublié[1]. »

La question de la transmission des savoirs « durables » qui nous préoccupait à cette époque n'était pas neuve en éducation. Il y avait, derrière nous, toute une tradition d'enseignement soucieuse du

---

1. *Enseigner au cégep*, conférence donnée au cégep de Limoilou le 21 mai 1986.

développement d'aptitudes générales de l'esprit à travers et à l'occasion de la maîtrise des savoirs scolaires. Un des contemporains de Renan, Jules Lagneau, qui fut le professeur d'Alain au lycée, avait dans un discours de distribution de prix employé une formule célèbre, « le savoir-apprendre », que l'on redit encore de nos jours sous la forme « apprendre à apprendre ». Tous les élèves d'Alain et les élèves de ses élèves, dont je fus, ont, un jour ou l'autre, lu ce texte, l'ont commenté et s'en sont inspirés dans leur enseignement. Le voici : « C'est la plus naïve des erreurs, la plus dangereuse et la plus commune de s'imaginer que le savoir est utile sous la forme où l'esprit le reçoit, et qu'en matière de connaissance, accumuler c'est s'enrichir… La culture intellectuelle — et l'on peut ajouter technique — vraiment utile est celle qui, réduisant au minimum le temps donné à l'accumulation du savoir apparent, porte au contraire au maximum celui qu'elle voue à la conquête du savoir réel : le savoir-apprendre, le savoir-juger, le savoir-résoudre[2]. » Une telle idée de la formation a servi à organiser dans les systèmes scolaires des lieux où les meilleurs pouvaient en bénéficier. Ce qui était par contre nouveau, c'est que ce type de formation, pensions-nous, devait être aussi visé dorénavant à l'école commune, plus tôt dans le parcours scolaire, et pour tous.

Vous savez comment le nouveau programme d'études traduit cette préoccupation. Il nomme quelques savoir-faire généraux (je reviendrai sur le mot « compétence » qu'on utilise à cet égard) dont le développement n'est pas renvoyé à un cours, mais doit être la préoccupation de chacun des enseignants : exploiter l'information, exercer un jugement critique, se donner des méthodes de travail efficace, exploiter les technologies de l'information et de la communication, coopérer, communiquer de façon appropriée… Le comité Corbo avait, le tout premier, établi une liste de ces savoir-faire généraux afin que l'on sorte de la pensée magique dans laquelle on se

---

2. Discours prononcé à la distribution des prix du lycée de Nancy, le 4 août 1880, *Écrits de Jules Lagneau* réunis par les soins de ses disciples, Paris, Union pour la vérité, p. 72-88.

complaisait alors. On dénonçait, d'un côté, la manière inefficace dont le programme d'études traduisait cette préoccupation, un simple cours de quelques heures sur la méthodologie du travail intellectuel vers la fin du secondaire, et pourtant, de l'autre, on se contentait de répéter comme un mantra la formule « il faut apprendre à apprendre », formule qui restait vide tant qu'on n'indiquait pas les savoirs procéduraux permettant de le faire. Par la suite cette liste s'est transformée et a été complétée lors des états généraux de l'éducation. Au tout début, on qualifiait de « généraux », ces savoir-faire. Par la suite, on les a dits « transversaux ». Mais l'idée sous-jacente à ce mot nouveau était là dès le départ : c'est « à travers » les différentes matières du programme, et non dans un seul cours dédié à cette fin, que l'acquisition de ces savoir-faire devait être assurée.

De plus, le programme d'études indique aussi les savoir-faire particuliers de chaque discipline que l'enseignement de celle-ci transmet à l'élève. Ainsi, par exemple, pour les mathématiques du primaire, les « compétences » dont le développement chez l'élève doit requérir l'enseignant sont au nombre de trois : la capacité de résoudre des problèmes, la capacité de raisonner, la capacité d'utiliser le langage propre aux mathématiques. Ces choses paraissent évidemment banales à l'enseignant expérimenté. « Faire des mathématiques », quelles que soient les notions mathématiques à maîtriser, c'est toujours pratiquer et faire pratiquer ces savoir-faire intellectuels. On ne fait donc que rendre explicite, dans le programme lui-même, ce qui auparavant était implicite. Mais ce changement n'est évidemment pas innocent. Il y a là un message. Ce ne sont pas seulement les connaissances à transmettre qui doivent préoccuper l'enseignant, mais aussi, de façon plus consciente qu'on ne le faisait peut-être auparavant, les savoir-faire intellectuels particuliers que la pratique de chaque matière permet de développer chez l'élève.

Mais ce n'est pas tout. Pour pouvoir transmettre des « savoirs durables », ce ne sont pas seulement des savoir-faire qui doivent être développés. Il faut aussi s'attarder davantage dans les cours à faire maîtriser par les élèves, dans les différentes matières, des notions génériques, celles dont le champ d'application est large et qui serviront longtemps. Il s'agit donc de les repérer. Mais pour faire ce travail, c'est l'économie générale du programme d'études utilisé depuis vingt ans qu'il fallait changer. Il convenait certes de faire bouger les lignes de partage disciplinaire et les luttes de territoire faisaient alors rage. Mais pour réussir à le faire, notre groupe de travail pensait qu'il fallait aller plus loin. On devait toucher un autre des cœurs du dispositif. On pouvait le faire en s'appuyant sur la déploration des effets d'un programme d'études balkanisé : la production d'un savoir en miettes, et sur le désir en creux que révélait cette critique générale : la nécessité de renforcer chez les élèves l'intégration des connaissances.

Renforcer l'intégration des connaissances

Mais intégrer des savoirs qu'est-ce que c'est ? On parlait alors beaucoup de l'« intégration des matières ». Intégrer des matières, c'était, par exemple, appliquer correctement les règles grammaticales, apprises dans le cours de français, dans le travail d'histoire, ou les équations algébriques, acquises dans le cours de mathématiques, dans le cours de sciences. Mais « intégrer des savoirs », c'est bien plus que cela, c'est greffer des savoirs nouveaux sur des savoirs antérieurs, c'est être capable de restructurer ses savoirs, c'est les replacer dans un ensemble autre que celui dans lequel on les a appris, c'est établir des liens entre savoirs différents. Intégrer les savoirs, c'est passer des savoirs « en miettes » à des savoirs « en réseau ».

 Les raisons qui nous poussaient à valoriser l'intégration des savoirs ne manquaient pas. Au niveau personnel, et non seulement intellectuel, l'expérience ne nous apprend-elle pas que l'intégration d'éléments jusqu'alors fragmentaires et dispersés est un des processus essentiels de progrès ? On le voit déjà chez le tout jeune enfant : la maîtrise de sa motricité passe par la coordination de ses mouvements. Et n'est-ce pas l'intégration réussie qui est à la source du côté rassurant que nous donne toute maîtrise ? Quand la panique ou la dépression nous font perdre cette maîtrise, nous régressons. Dans ces situations, littéralement, nous nous désintégrons. Il en est de même pour tout apprentissage. Et quant à moi, j'allais jusqu'à penser qu'un savoir éclaté était non seulement inutile, mais aussi nocif.

La demande sociale pour des personnes ayant la capacité d'intégrer leurs savoirs, d'établir des liens entre eux, a toujours existé. Mais le contexte de la révolution numérique accentue cette demande : on attend de l'école qu'elle se soucie plus qu'avant d'une telle intégration pour tous les élèves et non seulement pour les meilleurs. L'accès aux informations que permettent les nouvelles technologies de l'information ne suppose-t-il pas, si on veut éviter la « noyade cognitive », une plus grande structuration préalable des savoirs ? Les nouvelles situations de travail n'exigent-elles pas, elles aussi, des capacités d'utilisation, large et non mécanique et stéréotypée, des savoirs appris ? La demande d'intégration des savoirs vient de tous côtés. Mais, si seul l'élève peut faire lui-même une telle intégration et si seul l'enseignant peut directement la favoriser, un programme d'études peut aussi, pensions-nous, par sa logique de composition la faciliter.

Or ce n'était pas le cas du programme d'études que nous avions. Il était marqué par la balkanisation. Chaque unité était déterminée de façon isolée, sans rapport avec les autres et, pour des besoins nouveaux, on créait un cours nouveau. Cette pente du système avait des conséquences particulièrement au secondaire. Toute prise en compte d'éléments nouveaux de formation se matérialisait par la création d'une matière nouvelle qui devait gagner son espace sur celui des autres. On ne pensait pas à intégrer les éléments nouveaux dans les matières existantes. Le nombre de « petites matières » augmentait, entraînant des doubles emplois inutiles. Tout cela rendait évidemment difficile l'intégration des savoirs. Dès le printemps 1986, dix ans avant les états généraux sur l'éducation, une première version de ce type d'assise avait réuni plusieurs milliers de participants. Un des thèmes principaux de discussion eut lieu sous un titre qui dit tout : « L'école, un fourre-tout ? »

Corriger cette pente du système était donc indispensable. Une telle manière de concevoir un programme d'études, par adjonction d'éléments, manifestait une vision mécanique de l'organisation des savoirs. La refonte du programme d'études, entreprise maintenant depuis sept ans, vise à corriger cette situation. Pour remembrer le programme d'études, il a fallu supprimer certaines matières et en intégrer ailleurs des aspects, hiérarchiser différemment les choses, déterminer dans chacune des matières les connaissances génériques les plus importantes, adopter dans la construction des cours une perspective plus organique, soucieuse de l'interdépendance des éléments. Il y a dans ce domaine un immense travail qui a été fait et qui continue à se faire. C'est un travail de très grande qualité, dont s'inspirent des concepteurs de programmes d'études d'autres pays. Il a été réalisé par des centaines d'enseignants sous la conduite de quelques professionnels du ministère.

À ces changements, qui ne sont pas insignifiants et sont déstabilisants pour tout enseignant, notre groupe de travail en a ajouté un autre, tout autant sinon plus déstabilisant encore, et cela pour vous permettre d'exercer votre rôle d'enseignant en profession-nel, responsable des moyens. En effet, on ne pouvait pas demander que la formation des élèves se préoccupe davantage de la formation de leur esprit tout en vous maintenant par ailleurs dans un rôle d'applicateur. Il y aurait eu là contradiction. La formation de l'esprit implique des enseignants qui se réapproprient l'exercice du juge-ment. Former des esprits en appliquant des recettes conçues par d'autres est contradictoire. Il fallait donc libérer un espace qui vous sorte d'un simple rôle d'application et qui vous permette d'agir en professionnel responsable du choix de ses moyens.

Libérer l'espace professionnel

Au début des années 1990, une conjonction d'événements conduit les systèmes éducatifs occidentaux à donner un coup de frein à la tendance à la prolétarisation de l'enseignant sous la forme d'un enseignant technicien. Les associations professionnelles et syndicales souhaitent la revalorisation sociale du statut d'enseignant. Les États allongent la durée de formation de ceux qui choisissent cette profession. Les missions qu'ils assignent aux systèmes éducatifs évoluent aussi. On ne leur demande plus de sélectionner, mais de voir à la réussite du plus grand nombre possible d'enfants. Les interventions pédagogiques dans les classes doivent donc prendre en compte la diversité de la situation scolaire des enfants. Un courant très fort remet aussi en question, à la même époque, la pertinence de méthodes pédagogiques d'inspiration behavioriste qui s'accommodent parfaitement d'un enseignant technicien. Si ces méthodes sont efficaces dans des situations d'apprentissage qui demandent l'imprégnation, on ne pensait pas qu'elles l'étaient pour les processus d'apprentissage plus complexes que requerraient les nouveaux contextes sociaux, économiques, culturels. C'est cette « situation » qui conduit à parler de l'enseignant comme d'un professionnel. Car si un technicien applique des procédés établis par d'autres, un professionnel se voit certes imposer la fin, mais non le choix des moyens, qui eux relèvent de sa compétence.

Au Québec, la question de la professionnalisation du statut d'enseignant s'est posée exactement dans ces termes et tous les termes de la problématique étaient présents : recherche de la revalorisation du statut, allongement de la durée de la formation des maîtres, nécessité de mettre en œuvre un enseignement différencié, remise en question des pédagogies behavioristes. Mais pour faire droit à cette demande, on ne pouvait se contenter de souhaits ou de légers ajustements. Il fallait toucher un autre des cœurs du système du programme d'études. En effet, auparavant, on ne s'était pas contenté de faire aux enseignants la promotion des pédagogies behavioristes, les laissant libres de choisir si elles leur convenaient, on avait mis les principes de cette conception de l'apprentissage au cœur même de l'élaboration du programme d'études et de l'évaluation. On ne pouvait donc répondre sérieusement à la demande de professionnalisation du statut d'enseignant sans remettre aussi en cause certains piliers de l'édifice. C'est ce que nous fîmes.

Le verrou de la conception skinnérienne
du programme d'études

Mais pour comprendre ce que notre groupe de travail a proposé, il me faut vous ramener en arrière, aux années 1970. À la suite du rapport Parent, les commissions scolaires avaient une grande latitude pour établir les contenus du programme d'études, à l'intérieur de « programmes-cadres » déterminés par le ministère de l'Éducation. Et voici que, en 1977, une série d'articles de Lysianne Gagnon sur l'enseignement du français paraissent dans *La Presse*. Ils suscitent l'émotion : le niveau d'exigence en français est variable selon les commissions scolaires et, chez certaines, très faible. Le Parti québécois vient de prendre le pouvoir. Il se doit de réagir.

Le ministre Jacques-Yvan Morin décide de mettre fin au régime des « programmes-cadres » et demande que les programmes soient élaborés autrement. Or, dans les années 1970, la plupart des systèmes d'éducation sont atteints par un mouvement venant des sciences de l'éducation, celui de la pensée behavioriste, des Watson, Skinner et de leurs innombrables disciples, qui proposait la mise en place de systèmes pouvant assurer une efficacité quasi industrielle dans la formation. Mais alors que la majorité des pays touchés par ce mouvement le laissaient jouer sur le terrain local, au niveau du curriculum effectif de l'enseignant et selon sa propre décision, chez nous cette perspective technocratique a été adoptée, au plus haut niveau, dans la façon même de construire les programmes. Quelqu'un qui, à cette époque, a participé à une rencontre de travail avec un ministre inquiet de ce qui se passait dans les écoles m'a dit que des fonctionnaires l'ont rassuré. Deux « nouvelles sciences », mises au point par les sciences de l'éducation, la « taxonomie » pour définir les objectifs et la « docimologie » pour encadrer l'évaluation, pouvaient permettre désormais de déterminer des programmes précis et l'on pourrait ainsi s'assurer de leur application, de la même application par chacun des enseignants.

C'est ce qui se fit. Les programmes d'études ont été formulés de manière à déterminer ce qu'il convenait de faire en classe : des objectifs et une cascade de sous-objectifs encadraient cette application. On n'avait plus besoin d'annuaire édité par le ministère qui aurait défini de façon générale les programmes. Il y avait à la place, par exemple pour le primaire, six mille pages de documents pour les détailler. Personne évidemment ne les lisait, mais les manuels, eux, suivaient rigoureusement la démarche prévue, comme s'il n'y en avait pas d'autres possibles. Quant à l'évaluation, le type privilégié, et utilisé massivement de bas en haut du système, était celui des épreuves, dites objectives ou standardisées, présentant des questions fermées, à choix multiple. Ces examens, élaborés par des spécialistes, pouvaient être corrigés de façon automatique et ne requéraient pas le jugement de l'enseignant.

Le verrou de l'évaluation

Mais ce n'est pas tout. Même si vous le vouliez, vous pouviez difficilement sortir de cette situation, car il y avait un jeu de renforcement réciproque entre la formulation très détaillée de sous-objectifs et l'utilisation de ce type d'épreuves d'évaluation. Pour mieux encadrer la démarche d'enseignement, on jalonnait le parcours en déterminant des objectifs intermédiaires nombreux. Mais la recherche de la fiabilité de l'évaluation conduisait, elle aussi, au même point. Pour assurer la fiabilité de l'évaluation, on privilégiait des questions fermées, lesquelles commandent, à leur tour, la détermination d'objectifs intermédiaires nombreux, plus faciles à évaluer. La spirale de cette action de renforcement réciproque conduisait non seulement à enseigner selon la démarche prévue, mais, ce qui est plus grave, à n'enseigner que ce qui peut être évalué selon ce type d'évaluation. Au lieu d'évaluer ce qu'on valorisait dans l'enseignement, le système poussait à enseigner ce que valorisait le système d'évaluation utilisé.

Je vais vous raconter deux anecdotes qui se passent de commentaires. Elles disent ces choses, mieux que ne le ferait une longue analyse. Au début des années 1990, lors d'un voyage au Maroc, j'avais constaté qu'un grand nombre de Québécois y travaillaient à l'élaboration des programmes d'études. Un responsable marocain de haut niveau devant lequel je m'étonnais de ce fait m'a répondu : « Vous avez acquis au Québec une compétence extraordinaire pour déterminer les programmes d'études sous la forme d'objectifs découpés en sous-objectifs nombreux. Et comme nos professeurs n'ont pas tous une bonne formation, cela nous permet de nous assurer qu'ils appliquent quand même le programme. » Et voici la deuxième anecdote. On m'avait raconté qu'un professeur d'histoire d'un collège privé disait au début de l'année à ses élèves de secondaire IV : « Je vous remets une quarantaine de pages. Vous étudierez cela trois semaines avant l'examen du ministère et je vous garantis que vous aurez une note de 90 %. Et maintenant... on va faire de l'histoire ! » Ils eurent une telle note et surtout un cours, paraît-il, extraordinaire. Une femme ancien professeur d'histoire à qui je racontais ce fait me dit : « J'ai pensé faire de même, mais ma commission scolaire faisait passer un examen pour chaque émission de bulletin scolaire et cet examen par question fermée m'obligeait à préparer les élèves à ce type d'épreuves. Alors, j'ai abandonné mon idée. »

Lors des travaux du groupe de travail, j'ai rencontré, accompagné de Paul Vachon, l'équipe responsable de la composition des épreuves des examens ministériels. Je leur ai raconté les anecdotes concernant l'évaluation. Ils m'ont dit qu'effectivement les évaluations à questions fermées avaient des inconvénients, que leur capacité de mesurer l'apprentissage plus significatif était remise en question depuis plusieurs années aux États-Unis, qu'ils avaient eux-mêmes introduit dans un examen d'histoire une question ouverte demandant un développement, que les résultats avaient été catastrophiques et, comme l'opinion est sensible aux résultats d'histoire nationale et que les journaux s'en empareraient, ils avaient abandonné cette initiative. Je leur ai dit : « Persévérez, vous verrez bien que, dans deux ou trois ans, les élèves sauront répondre à ce type de question ! C'est vous qui menez les écoles, c'est la queue du chat qui mène le chat ! »

Notre groupe de travail était convaincu que la réforme du programme d'études devait donc aussi briser ce cercle qui pouvait vouer, à terme, l'enseignement à la médiocrité et maintenir l'enseignant dans un rôle de technicien. Pour réussir à le faire, il fallait desserrer deux verrous : la manière dont les programmes étaient formulés et le type d'évaluation privilégié. Comment, sans les desserrer, libérer l'espace professionnel, rendre à l'enseignant la responsabilité des moyens et faire en sorte que vous puissiez l'exercer collectivement, en équipe ? Le contenu du programme d'études est maintenant formulé autrement. Pour chacune des matières, le programme détermine quelques compétences très générales en nombre restreint (trois ou quatre par matière) et les concepts essentiels de la matière que les élèves doivent maîtriser. Enlevez les discours un peu bavards ajoutés pour enrober le tout, et vous constaterez que la formulation des programmes se réduit désormais à cela. Il a fallu aussi, pour faire sauter le deuxième verrou, élaborer une nouvelle politique d'évaluation qui rompt avec le « cochez oui, cochez non » qui régnait en maître. D'après les réactions que j'entends, je crois comprendre que certaines des nouvelles dispositions irritent. Mais peut-on en contester le bien-fondé ?

Voilà la « situation » qui nous conduisit à faire les propositions de réforme du curriculum d'études. Cette « situation » a-t-elle fondamentalement changé ? Les « questions » qui furent les nôtres ne sont-elles pas encore actuelles ? Et les changements proposés ne sont-ils plus adéquats ? Pourrait-on revenir à un programme d'études ne proposant plus l'apprentissage de savoir-faire, au système antérieur de balkanisation des disciplines et des matières, à un programme d'études et à une forme d'évaluation établis selon les principes skinnériens ? Je ne le crois pas. Mais je ne sous-estime pas pour autant, au contraire, les difficultés de tels changements.

Ces changements sont structurants. Ils changent la donne et amènent les acteurs à voir les choses différemment. Ils inquiètent tant que les repères nouveaux ne se sont pas mis en place et que de nouveaux habitus ne se sont pas créés à l'intérieur de ces nouvelles dispositions. Ainsi la refonte des contenus des programmes du secondaire est déstabilisante pour beaucoup d'enseignants. Les repères habituels disparaissent. Il faut s'approprier, dans certains cas, des contenus nouveaux. Il faut, pour renforcer l'intégration des savoirs, mettre sur pied des projets multidisciplinaires, alors que la balkanisation s'accommodait de pratiques individualistes. Les nouvelles dispositions concernant la formulation des programmes changent elles aussi la donne. La balkanisation du programme d'études, la multiplication des objectifs pour découper les contenus, les questions à choix multiple pour évaluer, tout cela pouvait constituer un univers routinier, relativement rassurant, dont on maîtrisait les codes. On a conscience aussi que le nouveau curriculum d'études tend à élever les standards et qu'il faudra porter un poids plus grand pour assurer une réussite d'un plus haut niveau de l'ensemble des élèves. Mais certains enseignants se réjouiront de ces changements. L'ancien dispositif leur apparaissait contraignant, privilégiant certaines pratiques pédagogiques et laissant peu de place au déploiement d'autres pratiques dans lesquelles ils trouvent la satisfaction professionnelle d'exercer plus facilement un rôle d'éveilleur d'esprit.

Je savais donc qu'au seuil du secondaire la réforme rencontrerait son mur de réalité. Mais je pensais, trop naïvement sans doute, que le passage de routines définies par d'autres à un espace que désormais on occuperait soi-même pourrait être relativement bien accepté puisque c'était la condition même de l'exercice du statut revendiqué. Mais j'avais mal estimé la situation de glaciation qui s'était installée avec le mode de détermination des programmes, établi depuis un peu plus de vingt ans. Dès que le dégel est arrivé, tout s'est mis à craquer, les repères étaient perdus. Ce que je n'avais pas prévu, c'est que, dans le champ de la pratique pédagogique désormais ouvert, essaieraient de s'installer à grands bruits, au son des buccins et des trompettes, les promoteurs des nouvelles pédagogies. Ce que je n'avais pas prévu, c'est que ce bruit déplacerait l'accent de ce qui est en cause dans cette réforme. D'une réforme, qui était d'abord une réforme du curriculum d'études, on en ferait, du moins au niveau des perceptions, une réforme d'application d'une théorie pédagogique. Ce que je n'avais pas prévu non plus, c'est que tout ce brouhaha alarmerait tellement de personnes qu'il servirait à instiller le doute sur la pertinence même de la réforme du programme d'études. Mais comment s'est donc opéré ce déplacement?

Le déplacement

J'observe ce champ de bataille depuis plusieurs années. Ce sont, je pense, trois interventions qui ont provoqué un tel glissement. La première est la pression du marché du perfectionnement des enseignants. Les pédagogies dites nouvelles existent depuis long-temps, mais elles ne trouvaient pas jusqu'à présent un terrain bien favorable pour leur promotion. La forme d'encadrement dont l'enseignant était l'objet n'invitait ni à l'innovation ni au perfection-nement, puisque les démarches étaient préalablement balisées. Et comment promouvoir facilement des pédagogies s'inspirant de théories d'apprentissage autres que celles dans lesquelles on vous enfermait? Dans le contexte nouveau, les offres de service de ce marché se sont multipliées auprès des commissions scolaires qui ont vu dans ce moyen une manière facile de s'occuper de l'implantation de la réforme. L'association «réforme-pédagogie» a commencé ainsi à se mettre en place.

La deuxième intervention fut celle des facultés des sciences de l'éducation. De temps à autre, comme toutes les facultés univer-sitaires, elles vivent un changement de doxa, de pensée dominante. Alors que les années 1970 avaient vu triompher chez nous la théorie d'apprentissage behavioriste, dont l'importance avait été renforcée par son application dans le programme d'études lui-même, se met-tait en place, au même moment aux États-Unis, mais je vous l'ai déjà dit, un nouveau mouvement en réaction au behaviorisme, la théorie constructiviste de l'apprentissage. La formulation des nou-veaux programmes a ouvert le champ à d'autres voies que la perspective behavioriste. Les tenants de la conception constructiviste, longtemps contenus, se sont engouffrés dans cet espace. Désormais cette manière de concevoir l'apprentissage était légitime et, pour eux, la seule vraie. Cette intervention des universitaires dans le débat sur la réforme des programmes a eu deux conséquences. Des changements de pratique pédagogique n'étaient plus demandés par suite d'obligations nouvelles venant de programmes à appliquer, mais au nom d'une nouvelle théorie d'apprentissage. La différence est de taille : ce n'est plus au nom de la nécessité qu'on vous demandait de changer, mais au nom de la vérité ! De plus la réforme du programme d'études fut alors entraînée sur le terrain des débats entre universitaires, et vous, enseignants, serviez de caution pour alimenter ces luttes. Le changement de doxa dans une faculté universitaire ne se passe jamais sans lutte. Un débat entre conceptions différentes de l'apprentissage, surtout quand il s'agit d'un mouvement qui veut en remplacer un autre, n'est jamais un pur débat théorique. Car ce qui est en jeu ce n'est pas seulement la vérité, mais aussi les positions d'influence à l'université et dans les réseaux d'éducation ou encore les positions à conquérir, ou à garder, dans le champ des activités de recherche. Ah ! ces guerres picrocholines des facultés universitaires !

La troisième intervention qui a provoqué ce glissement fut celle du ministère lui-même. Je ne sais ni quand, ni comment, ni sous l'influence de qui s'est fait le passage d'une réforme du programme d'études à une réforme pédagogique, mais j'ai vu poindre, à un certain moment, la possibilité d'un tel glissement. Au moment de la pause d'une réunion de travail que je tenais avec des directeurs et des directrices d'école, un des participants vint me parler avec enthousiasme de la réunion qu'il avait eue la veille. C'était une rencontre nationale que le ministère organisait de temps à autre et qui s'adressait à plusieurs centaines de personnes impliquées dans la mise en œuvre de la réforme. À la reprise de la réunion, je lui demande de nous faire part de sa journée. La conférence donnée par un universitaire, et surtout la formule qui la résumait, l'avait particulièrement séduit : « Pas de réforme sans changement, pas de changement sans fondement. » Mais alors que je m'attendais à ce qu'il nous dise : « La réforme du programme d'études ne sera effective que quand elle touchera le curriculum réel de l'enseignant dans sa classe et ce changement ne s'opérera que lorsque les enseignants auront compris les raisons qui l'ont commandé », il nous a dit :

« Il n'y aura de réforme que s'il y a un véritable changement de pratique pédagogique, et il ne peut y avoir de changement de cette nature sans connaître le fondement de ces pratiques nouvelles : la théorie socioconstructiviste de l'apprentissage. » La conférence qu'il avait écoutée était certainement plus nuancée, mais c'est ce qu'il en avait retenu et il s'apprêtait à diffuser un message « socioconstructiviste » qu'il maîtrisait mal auprès des équipes impliquées dans la mise en place de la réforme. J'étais atterré, mais son enthousiasme était tel — il était descendu rayonnant de la montagne, portant les nouvelles tables de la Loi — que je n'ai pas osé lui dire qu'il se trompait de cible ou, sinon de cible, du moins de stratégie.

Voilà, les choses sont ainsi et je ne sais comment elles pourraient être corrigées. Et je comprends l'enseignant qui serait prudent tant que les choses ne se seront pas décantées. Pourquoi changerait-il de pratique pédagogique ? Au nom d'une nouvelle vérité qu'imposerait le ministère alors que pourtant, en choisissant la nouvelle formulation des programmes, ce même ministère veut rompre avec la pratique antérieure de l'État pédagogue et vous laisser la responsabilité des moyens ? Je le sais, en faisant cela, les uns et les autres veulent vous aider. Mais, ce faisant, ils suscitent plutôt, chez quelques-uns d'entre vous, la méfiance.

Mais je ne me résigne pas à ce que, pour ces raisons, vous alliez à reculons ou « d'une seule fesse » vers une pratique professionnelle du métier qui permettra de le transformer. Non, les vraies raisons pour lesquelles il faut changer sont autres. Les nouvelles exigences des programmes posent la question des moyens qui permettraient d'y répondre. Quand le nouveau programme demande de développer des savoir-faire, on sait bien qu'on ne peut se contenter des pratiques habituelles de transmission des connaissances. Mais surtout, le nouvel espace qui vous est ouvert est pour vous une occasion d'exercer plus légitimement qu'auparavant le rôle d'éveilleur d'esprit. Or, le fondement des pratiques qui vous le permettront n'est pas dans une théorie « nouvelle » de la connaissance. Elle est d'abord dans une tradition d'éducation, minoritaire certes, mais qui à travers les siècles s'est maintenue jusqu'à nous. Et les théories d'apprentissage, dites nouvelles, ne viennent que formaliser, pour en rendre compte de façon savante, des pratiques qui leur préexistent. Les passeurs culturels que j'ai connus étaient aussi des éveilleurs d'esprit. Ils ne connaissaient pas ces théories d'apprentissage, mais ils les avaient déjà mises en pratique dans leurs classes. Ce qui avait inspiré leurs actions, c'étaient des penseurs de l'éducation qui les avaient conduits à réfléchir sur leur métier. C'est dans cette tradition qu'il faut s'insérer. Elle a pour elle la garantie de la durée et celle de la fiabilité. De tout temps, les enseignants considérés comme les meilleurs en ont toujours fait partie. Alors je voudrais vous faire sortir sans attendre du terrain de la polémique que j'ai dû frôler parce que je ne pouvais l'éviter et vous introduire, ailleurs, à l'air vivifiant de quelques-unes de ces pensées qui ont nourri les éveilleurs d'esprit et transformé leurs pratiques. Ici encore, je vous entretiendrai de quelques-unes de celles qui m'ont marqué.

Oser penser

En éducation, ce que vous pensez de l'élève détermine ce que vous faites avec lui et donc conditionne les résultats que vous obtiendrez de lui. C'est là la loi de Pygmalion, la plus importante des lois en éducation. Or les éveilleurs d'esprit sont toujours animés par un certain nombre de croyances sur ce qu'est l'élève et l'éducation. Ils ne considèrent pas l'esprit de l'élève comme une tablette de cire sur laquelle viendraient s'inscrire des messages par répétition. Oui, des messages peuvent s'inscrire ainsi, mais ils concernent un apprentissage élémentaire, comme connaître une table de multiplication ou la suite des lettres de l'alphabet. Mais pour les processus plus complexes, comme comprendre une question, résoudre un problème, ils considèrent l'esprit de l'élève comme actif, constructif. Et cela déterminera leur pédagogie qui ne visera plus la simple réception des savoirs, mais leur découverte et leur intégration dans le réseau des connaissances que l'élève possède déjà.

Mais c'est chez Kant que j'ai trouvé la forme la plus aboutie de cet aiguillon qui fait agir ainsi les éveilleurs d'esprit. «Aie le courage de te servir de ton propre entendement. » C'est cela la fin de toute éducation et l'école devrait fournir à l'élève les occasions de cette expérience. Je ne résiste pas à l'envie de vous citer quelques phrases du début d'un de ses textes, *Réponse à la question : Qu'est-ce que les Lumières ?* « Les Lumières, c'est la sortie de l'homme hors de l'état de tutelle dont il est lui-même responsable. L'état de tutelle est l'incapacité de se servir de son entendement sans la conduite d'un autre. On est soi-même responsable de cet état de tutelle quand la cause tient non pas à une insuffisance de l'entendement mais à une insuffisance de la résolution et du courage de s'en servir sans la conduite d'un autre. *Sapere aude !* Aie le courage de te servir de ton propre entendement ! Voilà la devise des Lumières. Paresse et lâcheté sont les causes qui font qu'un si grand nombre d'hommes [...] restent cependant volontiers toute leur vie dans un état de tutelle ; et qui font qu'il est si facile à d'autres de se poser comme leurs tuteurs. Il est si commode d'être sous tutelle. [...]. Après [...] avoir empêché avec sollicitude ces créatures paisibles d'oser faire un pas sans la roulette d'enfant où ils les avait emprisonnées, ils leur montrent ensuite le danger qui les menace si elles essaient de marcher seules. Or ce danger n'est sans doute pas si grand, car, après quelques chutes, elles finiraient bien par apprendre à marcher. [...] Il est donc difficile à chaque homme pris individuellement de s'arracher à l'état de tutelle devenu pour ainsi dire une nature. Il y a même pris goût et il est pour le moment vraiment dans l'incapacité de se servir de son propre entendement parce qu'on ne l'a jamais laissé s'y essayer[3]. »

« Laisser s'y essayer » l'enfant ou le jeune et l'encourager en lui disant : « Ose penser par toi-même », cela peut faire tout un programme d'éducation. Mais cette formule, « Ose penser par toi-même », ne dit pas seulement ce à quoi on la réduit très souvent : « Pense par toi-même », elle dit d'abord : « Ose penser par toi-même, fais un pas en avant sans la marchette d'enfant, fais un pas au-delà de l'espace vide, lance-toi, mets-toi en route ! » Pour Kant, la

---

3. E. Kant, *Qu'est-ce que les Lumières ?*, Paris, GF-Flammarion, 1991, p. 43-44.

pensée est d'abord une force intérieure qui vous fait commencer à penser et ce mouvement, ce surgissement, est producteur de liberté. Ce moment de l'arrachement où l'on se lance à penser, sans marchette, c'est l'expérience première de la liberté.

Éduquer, c'est conduire l'enfant, le jeune, de la nature à la liberté. L'homme est la seule créature qui doive être éduquée. Seul un être libre doit être éduqué puisqu'il n'est encore rien et qu'il a à devenir. S'il n'était que nature, il n'aurait rien à apprendre puisqu'il n'aurait à devenir que ce qu'il est déjà. L'éducation doit donc faire sortir l'enfant, le jeune, de la minorité, de l'état de tutelle dans lequel le dressage tend à le maintenir et lui donner l'occasion de « s'essayer » à penser, à découvrir, à résoudre par lui-même.

Pensez-vous que l'on puisse partager une telle conception de l'éducation, une telle croyance de ce qu'est l'homme, sans que la pédagogie pratiquée n'en soit transformée ? Le travail doit se faire par l'élève lui-même. Il n'y a pas d'autre moyen d'accéder à la connaissance que de penser par soi-même. Cela ne veut pas dire que la vérité est individuelle, mais que l'effort personnel est le seul moyen d'accéder à une vérité. Mais à la base de cet effort, il y a une envie qui pousse à comprendre, à penser, une énergie qui pousse à chercher, qui pousse à apprendre pour comprendre. Cette énergie est déjà là, en attente, il faut lui donner l'occasion de se déployer, il faut lui dire : « Ose ! »

La question

C'est ce même besoin de comprendre qui fait que nous n'apprenons bien que ce qui répond aux problèmes que nous nous posons. Le fait de ne pas comprendre nous déstabilise et nous met en marche. C'est pourquoi les pratiques pédagogiques des éveilleurs d'esprit donnent une place centrale à la « question » : la question posée à l'élève, la question posée par l'élève, la remise en question. La place que vous donnez à la question et aux questions dans votre enseignement dit tout sur la manière dont vous percevez l'élève : un feu à alimenter ou une cruche à remplir.

Poser des questions à l'élève, non pour qu'il vous donne la réponse apprise, comme au catéchisme du temps, mais pour qu'il cherche et trouve une réponse qui se tienne et, si besoin est, recommence à chercher jusqu'à ce qu'elle se tienne. Tenez, regardez Socrate, le modèle occidental du maître, quand, dans *Ménon*, il interroge un petit esclave. Par ses questions, il lui fait découvrir, sans qu'il ne lui enseigne rien, quelle est la surface d'un carré dont on a doublé les côtés. Il veut ainsi montrer aux sophistes qui se posent en experts en savoirs que ceux que l'on pense ignorants, sans instruction, ont pourtant déjà une capacité de connaître, de chercher pour trouver une réponse. Sans doute, dans ce cas, il s'agit de notions mathématiques, mais il applique la même méthode à d'autres objets.

Et regardez sa ruse. Il fait d'abord s'exprimer ses interlocuteurs sur les savoirs qu'ils possèdent déjà sur le sujet. Mais, au départ, ces connaissances ne sont pas nécessairement justes ni vraies. Alors par ses questions et réfutations successives, il embarrasse, fait douter de ce qu'on savait et croyait vrai. « Socrate, j'avais entendu dire, avant même de te rencontrer, que tu ne fais rien d'autre que t'embarrasser toi-même et mettre les autres dans l'embarras. Et voilà que maintenant, du moins c'est l'impression que tu me donnes, tu m'ensorcelles, tu me drogues, je suis, c'est bien simple, la proie de tes enchantements, et me voilà plein d'embarras ! D'ailleurs, tu me fais totalement l'effet, pour railler aussi un peu, de ressembler au plus haut point, tant par ton aspect extérieur que par le reste, à une raie torpille, ce poisson de mer tout aplati. Tu sais bien qu'à chaque fois qu'on s'approche d'une telle raie et qu'on la touche, on se trouve plongé, à cause d'elle, dans un état de torpeur ! Or, j'ai à présent l'impression que tu m'as bel et bien mis dans un tel état. Car c'est vrai, je suis tout engourdi, dans mon âme comme dans ma bouche, et je ne sais que te répondre[4]. »

Cet exemple a eu une importance capitale en éducation. Il a donné naissance à toute une tradition de technique d'apprentissage, celle de la méthode socratique, cet art qui consiste, avant de faire

---

4. Platon, *Ménon*, 80 a.

apprendre, à poser des questions pour s'assurer de ce que les élèves connaissent déjà. On peut alors s'appuyer sur leurs connaissances justes, les raffermir, les compléter, ou, à l'inverse, redresser ou dissiper leurs connaissances ou représentations fausses, celles qui font écran et empêchent d'assimiler réellement la connaissance nouvelle. La didactique des sciences s'en est inspirée directement depuis que Bachelard a aussi montré comment, dans le domaine des sciences, la « vérité » est rarement illumination, mais le résultat d'une suite d'erreurs rectifiées. Cet exemple pose aussi les termes d'une des questions topiques en éducation, celle du rapport entre échec et erreur, question sur laquelle je reviendrai dans ma prochaine lettre. Et quand, de nos jours, les cognitivistes disent que pour connaître vraiment il faut d'abord déconstruire ce qu'on croyait être vrai, passer de la certitude erronée au doute de ce que l'on croyait être, ils redisent ce que la manière d'agir de Socrate démontrait : le doute introduit dans l'esprit n'est pas un défaut de connaissance, mais une première étape vers un véritable savoir.

Le fil rouge de la question

De l'enseignant qui donne de l'importance aux questions posées à l'élève à l'enseignant qui donne de l'importance aux questions que l'élève se pose, ou pourrait se poser lui-même, le passage se fait vite. À travers le temps, se déroule ainsi un fil rouge. Montaigne a servi de relais dans l'histoire occidentale de l'éducation pour que se maintienne vivante dans les écoles l'exigence de la pratique de Socrate : « On ne cesse de criailler à nos oreilles, comme qui verserait dans un entonnoir, et notre charge ce n'est que redire ce qu'on nous a dit. Je voudrais que le conducteur corrigeât cela, [en] faisant goûter les choses, les choisir et discerner. Je ne veux pas qu'il […] parle seul ; je veux qu'il écoute son disciple parler à son tour. Socrate […] faisait premièrement parler ses disciples, et parlait ensuite[5]. » Puis,

---

5. M. de Montaigne, *Essais*, livre I, chap. XXV, « De l'institution des enfants ».

Jean-Jacques Rousseau, décrié par certains, mais qui restera dans l'histoire occidentale de l'éducation comme celui qui a découvert une terre nouvelle, l'enfance, continue le relais : « Rendez votre élève attentif aux phénomènes de la nature, bientôt vous le rendrez curieux, mais pour nourrir sa curiosité, ne vous pressez jamais de la satisfaire. Mettez les questions à sa portée et laissez-les lui résoudre. Qu'il ne sache rien parce que vous le lui avez dit, mais parce qu'il l'a compris par lui-même. Si jamais vous substituez dans son esprit l'autorité à la raison, il ne raisonnera plus ; il ne sera plus que le jouet de l'opinion des autres[6]. » Et puis, c'est cette formule de John Dewey, que l'on cite si souvent : « Toute leçon doit être une réponse, réponse à un problème, réponse à une question. » Même aux époques où la norme voulait que, pour apprendre, l'élève soit attentif, écoute, suive, répète, applique — Émile Durkheim : « L'enfant ne va pas d'abord à l'école pour y apprendre quelque chose, mais pour apprendre à rester tranquille assis à une chaise huit heures par jour » —, il y a toujours eu des maîtres qui ont su donner de l'importance aux questions posées par l'élève. Et même le conférencier ou le professeur qui pratiquent l'exposé magistral savent eux aussi que l'attention de leur auditoire sera meilleure si, au départ, ils prennent du temps pour susciter une interrogation ou poser un problème à résoudre. Et tout jeune enseignant, attentif à ce qui se passe dans sa classe, comprend vite lui aussi que si les élèves sont accrochés par le problème posé et veulent en connaître la solution, ils suivront la leçon qui leur fournira la réponse attendue. Mais alors, pourquoi ne pas aller plus loin, tenter de donner plus d'importance à ce ressort qui pousse les enfants et les jeunes à apprendre en leur proposant des questions complexes qu'ils devront résoudre seuls ou en groupe ? Il n'y a là qu'une extension d'une pratique maintenue constante dans l'histoire.

La certitude n'est pas la garantie de la vérité, cette autre leçon de la leçon du *Ménon* n'est pas, elle non plus, oubliée par les

---

6. J.-J. Rousseau, *Émile ou de l'éducation*, Paris, GF-Flammarion, 1966, livre troisième, p. 215.

éveilleurs d'esprit. Le développement de l'esprit critique, la remise en question de l'évidence est pour eux une des fins de l'école. Les élèves doivent apprendre à se méfier de la crédulité, des jugements inconsidérés, des préjugés. Ils doivent faire l'expérience de l'analyse rationnelle qui permet de distinguer le vrai du faux, développer le jugement qui permet de n'affirmer que ce dont on a reconnu la légitimité. Une dernière fois, Socrate, Socrate à Alcibiade : « Alors, réponds-moi donc ; et si tu n'apprends pas de toi-même que ce qui est juste est avantageux, ne le crois jamais sur la foi d'un autre[7]. » On ne peut s'instruire que par soi-même. Et c'est par le dialogue avec soi-même (on se fait des objections, on prend le contre-pied de ce qu'on pense) et avec les autres, dialogue qui oblige chacun à fonder ce qu'il dit, que s'effectue cette instruction.

Mais l'éveilleur d'esprit, qui est aussi passeur culturel, sait que la remise en question que permet l'esprit critique ne s'applique pas seulement pour s'assurer de la justesse des idées. Elle doit aussi être présente dans les éléments culturels que l'on transmet, sinon la transmission n'est que reproduction, répétition du passé. La transmission dans les sociétés traditionnelles cherche à assurer le clonage culturel, ce n'est pas là l'esprit de la transmission que veut réaliser le programme d'études. La perspective culturelle qui l'anime a un ferment qui l'en empêche. Ce qu'on retient du passé, ce sont certes des réalisations qui permettent de s'adapter et de vivre dans un monde qu'elles ont façonné. Mais ce qu'on transmet, c'est aussi la leçon des sociétés ouvertes : en leur temps, ces œuvres étaient nouvelles, elles rompaient avec des traditions, avec des façons de penser de leur époque. Transmettre ce qui, nourri de l'ancien, permet de féconder du nouveau, c'est cela la vraie transmission. Mais je vous ai parlé déjà de tout cela.

Il fallait, vous voyez, dans la formulation même du programme d'études libérer un espace professionnel pour que vous puissiez exercer plus légitimement un rôle d'éveilleur d'esprit. Certains en ont profité pour vous vendre, tout comme avant, de nouveaux habits

---

7. Platon, *Alcibiade majeur*, 114 d.

déjà tout découpés et d'autres pour déverser sur vous leur science neuve. Mais il importe de garder son autonomie de jugement et de se redire la parole de Socrate à Alcibiade. Quant à moi, j'ai préféré vous conduire dans un autre chemin, à la rencontre d'auteurs qui nous disent ce que c'est qu'apprendre et enseigner. Ces auteurs réfléchissent sur leur expérience, mais en les écoutant, on se rend bien compte que la leur est aussi la nôtre. C'est pour cela qu'ils nous convainquent et ont suscité de façon continue, à travers le temps, des éducateurs, éveilleurs d'esprit, qui ont su mettre leurs idées en pratique. On ne rejoint pas une telle cohorte en copiant servilement leurs méthodes. On y arrive en se mettant, comme eux, en route, et en faisant son propre miel, comme dirait Montaigne.

Mais cette route que vous prendrez ne sera pas toujours facile. Ces cinquante dernières années, le champ de l'éducation a été bouleversé par des remises en question. Or ces remises en question n'ont guère atteint notre école, protégés que nous étions par un système clos, verrouillé. De toute façon, ces questions, abordées à l'université, étaient destinées à rester académiques. Elles ne pouvaient avoir beaucoup d'impact sur un enseignant à qui l'on demandait de suivre des chemins déjà balisés. La situation change. Le déverrouillage de l'espace professionnel qui rend désormais possibles d'autres pratiques fait soudainement surgir ces remises en question et les débats qu'elles suscitent toujours. Il vous faudra donc faire parfois ce chemin d'éveilleur d'esprit à travers des difficultés de conciliation, des paradoxes, des tensions. Je vous reviens là-dessus dans ma prochaine lettre.

Naviguer à travers les récifs

Obstacles, récifs, difficultés, ce sont les mots et les images qui me reviennent sans cesse quand je pense aux conditions dans lesquelles vous aurez à exercer votre rôle de passeur culturel et d'éveilleur d'esprit. L'espace professionnel voulu par la réforme du curriculum d'études permet, plus qu'auparavant, de compléter ou de varier les pratiques d'enseignement selon les intentions pédagogiques. Si l'intention est la compréhension par les élèves, on peut leur proposer des situations épurées traditionnelles de l'enseignement, celles dans lesquelles on va du simple au complexe, celles où les choses sont exposées selon l'ordre de l'explication. Mais si l'intention est de susciter l'activité de l'élève en s'appuyant sur son besoin de comprendre, on peut lui proposer des situations qui feront appel à la découverte et à la recherche personnelle d'explication.

Or la possibilité de ces démarches différentes, tout compte fait naturelle, suscite des débats confus et passionnés au moment où l'application du nouveau programme touche le niveau secondaire. Tout se passe comme si vingt-cinq ans de pratique d'un programme d'études, en simple applicateur, avait éloigné l'école secondaire des débats qu'entraînent les remises en question des formes convenues d'enseignement. En sortant du moule du programme d'études antérieur, toutes ces questions repoussées, ignorées reviennent en force. Dans de telles conditions, comment ne pas être troublé, incertain ? Pour prendre une image marine, il vous faudra naviguer à travers des récifs, éviter souvent d'aller de Charybde en Scylla. C'est pour vous aider dans cette navigation que je voudrais vous donner quelques cartes.

Quand j'ai entrepris la rédaction de ces lettres, je n'avais pas l'intention de traiter ces sujets. Je ne veux ni entrer dans les polémiques ni dans des explications trop techniques. Toutefois la situation est tellement confuse que vous interpréteriez mon silence comme une fuite et des personnes qui m'auraient bien vu ferraillant avec elles dans l'arène ne le comprendraient pas. Alors, j'irai un peu là où, pourtant, je ne voulais pas aller. Mais à ma façon, volontairement un peu distante. Pendant plusieurs années, j'ai noté dans un cahier les réactions et les réflexions suscitées par ce que j'entendais ou lisais sur la réforme du curriculum d'études. Je vous transcrirai quelques-unes de ces notes, évidemment décantées. Toutes n'avaient pas la sérénité de celles que j'ai retenues ici. Elles s'organisent surtout autour de quatre questions topiques de l'éducation, ces mêmes questions, ces mêmes débats qui reviennent de temps à autre, mais sous des habits nouveaux : tête bien faite ou bien pleine ? enseigner ou apprendre ? sanctionner ou soutenir ? imposer ou écouter ? Si vous avez suivi ces débats, ces fragments écrits dans leurs marges, plus souvent autour du sujet que dans le sujet, vous intéresseront ne serait-ce que par curiosité. Par contre, si vous ignorez ce qui a provoqué ces réflexions, vous aurez plus de mal à me suivre. Vous pourrez alors parcourir cette lettre en picorant ici ou là ce qui vous intéresse ou encore aller directement à la prochaine.

Opposer ou conjuguer

Qu'est-ce qu'apprendre et, corrélativement, qu'est-ce qu'enseigner ? Les débats sur ces questions se passent souvent, dans les milieux d'éducation, sur le mode des luttes religieuses : regroupements dans des camps antagonistes, déformations caricaturales de l'adversaire voué aux gémonies, appels aux conversions de « paradigme », excommunications, dénonciations aux nouveaux maîtres de l'opinion, les médias. Les débats actuels, que suscitent quelques changements de pratiques pédagogiques commandés par certains éléments du nouveau programme d'études, n'échappent pas à ces travers. Ce climat empêche de voir ce dont il s'agit vraiment. Et la confusion n'est pas un climat propice au changement.

Mais je crains que ce qui s'est passé là ne se perpétue. Cette forme exacerbée que prend le débat semble être une réalité permanente des systèmes d'éducation. Je ne sais pas ce qui explique le caractère « guerre de religions » de tels débats. Mais je sais, en revanche, ce qui pourrait permettre de s'éloigner un peu de tels excès. Tout d'abord la logique. Ces oppositions, présentées comme exclusives l'une de l'autre, reposent sur une faute élémentaire de logique. Deux notions différentes, opposées ou même contraires l'une à l'autre ne sont pas nécessairement contradictoires, c'est-à-dire exclusives l'une de l'autre. Dès la première leçon de logique formelle, on apprend à distinguer les propositions « subcontraires », propositions contraires pouvant coexister (quelques profs sont gentils / quelques profs ne sont pas gentils), des propositions « contradictoires », exclusives, elles, l'une de l'autre (aucun prof n'est gentil / quelques profs sont gentils). Mais, je crains que l'appel à la logique ne soit guère efficace dans des situations de guerre, il reste alors le bon sens. Il suffit alors de prendre conscience que ces débats sont davantage le fait de ceux qui pensent l'enseignement que de ceux qui le pratiquent. La réalité pensée, plus que la réalité vécue, se prête à une présentation sous la forme d'opposition d'éléments qui s'excluent.

La pensée simplifie, mais la réalité est complexe. Est complexe ce qui est tissé ensemble. Par la pensée, par l'analyse, je peux distinguer les éléments. Je peux, pour la clarté de l'exposé, distinguer la pensée behavioriste de l'apprentissage de la pensée constructiviste. Mais souvent, l'universitaire ne se contentera pas de cela. De la « distinction », il fera une « opposition » parce qu'au sein de l'université la théorie constructiviste s'est constituée en opposition et en lutte contre la pensée behavioriste. Behaviorisme, constructivisme deviennent alors deux épistémologies irréductibles et donc critiques l'une de l'autre. Et comme le destin des théories est de se succéder, la dernière remplaçant la précédente (du moins dans le domaine des sciences de la nature, mais non dans celui des sciences humaines), l'universitaire aura tendance à penser que la théorie constructiviste est la seule qui puisse désormais légitimement expliquer l'apprentissage et que les procédures d'enseignement, mises en place sous le couvert d'une autre théorie, doivent donc être transformées.

Cependant quand on est sur le terrain, on sait que la réalité n'est pas simplifiable ainsi. Elle est et reste complexe. Des éléments différents peuvent être séparés par l'esprit, mais ils sont, dans les faits, inséparables. C'est dans la tension entre la chaîne et la trame que se constitue le miracle du tissage. Dans la réalité de la classe, il faut que l'élève connaisse les verbes irréguliers ou sa table de multiplication, qu'il applique les règles de grammaire ou de calcul, et alors la théorie behavioriste rend compte des procédures d'apprentissage qu'il faut utiliser pour obtenir ces résultats. Mais il est aussi nécessaire que l'élève apprenne à formuler une hypothèse, à résoudre un problème, à comprendre une notion, et alors la théorie constructiviste rend compte des procédures d'apprentissage qu'il faut utiliser pour obtenir ces résultats. Étant sur le terrain des choses à faire, je dois, au niveau de la pensée, distinguer et relier, et non diviser et opposer, et je dois, au niveau de l'action, distinguer et conjuguer, et non choisir et exclure.

Du paradigme

Il y a des modes dans l'usage des mots dans les milieux d'éducation comme dans les autres. La réforme du curriculum d'études a charrié les siens. L'abus de l'utilisation du mot « paradigme » — « on est dans un autre paradigme », « il faut changer de paradigme », « la réforme nous demande de changer de paradigme » — m'exaspère. Le paradigme est un cadre dans lequel nous pensons la réalité. Les concepts maîtres d'un paradigme s'opposent à des concepts qui leur sont opposés. Cette activité de structuration qui simplifie la réalité en l'opposant à une autre de ses facettes est donc utile pour comprendre. Mais l'utilisation du mot « paradigme », qui peut procéder du besoin de simplifier ce qui est complexe, prend, dans le recours généralisé à ce terme un tout autre sens. Chez plusieurs de ceux qui l'emploient, il sert moins à éclairer qu'à prescrire et à proscrire. D'ailleurs le contexte d'origine de l'utilisation de ce terme est bien celui-là. Pour Thomas Kuhn, qui le premier a recouru à cette notion pour expliquer la logique de l'évolution de la science, les paradigmes, cadres théoriques auxquels adhère l'ensemble de la communauté scientifique à un moment donné, se succèdent. Pendant des siècles, les physiciens ont raisonné selon les principes de la physique de Newton, puis ce paradigme a été remplacé par celui de la physique atomique.

L'utilisation de ce terme dans le domaine de l'éducation n'est donc pas innocente. On peut vivre et agir avec deux théories de l'apprentissage différentes (behavioriste et constructiviste), tout comme la physique a vécu avec deux théories d'explication de la lumière différentes (moléculaire et ondulatoire). Mais quand on oppose les paradigmes, par exemple, celui de l'« apprentissage » à celui de l'« enseignement », on ressent très souvent derrière ces oppositions des intentions autres, celles de nous convertir. Et la volonté de nous convertir est parfois tellement forte qu'elle contredit même dans les faits la nouvelle doxa. Alors que l'on dit que le savoir acquis n'est pas une simple réception mais demande une activité d'intégration, de construction de la part de celui qui apprend, on nous invite à changer de paradigme mécaniquement, d'un clic, comme on changerait de logiciel sur notre ordinateur ! Gardons-nous de ceux qui veulent notre bien au nom de la vérité !

De la compétence

Le débat classique de la tête bien pleine ou de la tête bien faite prend de nos jours la forme de l'opposition compétence-connaissance. Le terme de « compétence » prend de plus en plus de place dans les systèmes d'éducation pour nommer des choses que l'école doit faire acquérir aux enfants et aux jeunes à côté des connaissances ou en plus des connaissances : des savoir-faire généraux ou particulier. Le nouveau programme d'études l'utilise lui aussi dans ce sens. Or l'introduction d'un tel mot dans un domaine dédié au savoir, à la connaissance, fait déjà sourciller. On a du mal à penser que l'activité intellectuelle puisse être de l'ordre du savoir-faire et que l'école doive aussi s'en préoccuper. Et pourtant calculer, rédiger, lire sont des activités intellectuelles ; et pourtant ce sont des savoir-faire et l'école s'en préoccupe. Et quand, dans les premières années du primaire, l'élève apprend à lire, à écrire, à calculer, n'est-il pas essentiellement soumis à ce type d'apprentissage, celui des savoir-faire ? Les savoir-faire n'indiquent pas seulement un apprentissage relatif au « corps » (savoir nager, savoir conduire une voiture), mais aussi un apprentissage intellectuel relatif à l'« esprit » (savoir raisonner, savoir chercher des informations). Les savoir-faire ne sont pas non plus seulement des réactions stéréotypées du type stimulus-réponse, où l'on reproduit ce que l'on a appris, car il y a des degrés dans l'usage des savoir-faire. Alors qu'au début de son apprentissage, on ne peut que reproduire les gestes appris, un « savoir-faire » maîtrisé permet d'improviser des réactions à des situations inédites. On « sait » bien danser quand la raideur des efforts de coordination des débuts est dépassée. De même l'élève « sait » bien lire quand la lecture lente, ânonnante, brisée, du début fait place à une lecture fluide, souple, dans laquelle rythme et débit se modèlent au sens du texte.

À cette difficulté de fond s'en ajoute une autre qui vient de l'usage du terme, « compétence », pour nommer certains savoir-faire. Employé dans des contextes différents, ce terme est devenu une auberge espagnole où chacun apporte ce qu'il veut manger. Chacun lui donne le sens qui lui convient, ce qui ne simplifie pas le débat. Ainsi, utilisé dans le contexte de l'école primaire et secondaire, dont le rôle n'est pas de préparer directement à l'emploi, le mot fait dresser les cheveux de certains. Plusieurs voient dans son adoption le signe d'une école qui se met au service de l'entreprise qui en fait également grand usage. Par un amalgame qui vient de l'utilisation du même mot dans deux contextes différents, on associe un programme d'études du primaire et du secondaire visant l'acquisition de compétences à un mode d'élaboration des programmes dit par « compétence », utilisé pour établir le contenu des programmes professionnels ou techniques du secondaire et du collégial.

Pour élaborer les programmes d'étude professionnels et techniques selon cette logique, on examine les fonctions de travail, on détermine les « compétences » requises pour les exercer — elles sont nombreuses — et à partir de là on détermine le contenu du programme de formation. Or, il suffit de regarder la nature des « compétences » dont parle le nouveau programme d'études pour se rendre compte qu'un tel amalgame ne tient pas. Les « compétences » dont on parle sont, pour chaque matière, peu nombreuses et elles énoncent des savoir-faire qui sont la caractéristique de la matière elle-même et non des savoir-faire relatifs à un emploi. Les compétences à développer en mathématiques sont : résoudre des problèmes, raisonner, reconnaître le langage mathématique. Les compétences à développer en français sont : lire et apprécier des textes variés, écrire des textes variés, communiquer selon des modalités variées. Les compétences dont parle le programme d'études, qu'elles soient disciplinaires ou transversales, sont des savoir-faire intellectuels. À leur face même, elles n'ont rien à voir avec les compétences relatives à l'emploi.

Je pense qu'un des premiers auteurs à avoir introduit le terme de « compétence » dans le magasin général des concepts en sciences de l'éducation est le linguiste Noam Chomsky. Qu'est-ce que « connaître » une langue se demande-t-il ? Ce n'est pas seulement répéter des phrases apprises de cette langue, c'est, à partir d'un nombre restreint de règles, être capable de comprendre et de construire un nombre indéfini de phrases nouvelles. La répétition exacte des phrases apprises, les behavioristes l'appelaient « performance », la capacité, à partir de règles et de connaissances bien maîtrisées, de comprendre et construire des phrases sans limites, Chomsky, pour se distinguer des behavioristes qu'il combattait, va l'appeler « compétence » linguistique. Dans ce cas, le mot « compétence » ne se réduit pas au « savoir-faire », il englobe aussi des connaissances, mais des connaissances et des savoir-faire qu'on sait utiliser. L'accent est mis ici sur la capacité de se servir de ce qu'on sait et de ce qu'on sait faire.

De la contamination des débats

Le débat compétence-connaissance donne le tournis. Son objet se déplace sans arrêt. On projette sur lui d'autres débats, tenus dans d'autres temps ou dans d'autres lieux, dans des contextes qui n'ont qu'un lointain rapport avec le contenu réel du nouveau programme d'études. Ce faisant, on lui attribue des intentions qu'il n'a pas. Il n'est donc pas inutile de connaître quelques-unes de ces projections.

L'importance à accorder par l'école aux savoir-faire a reçu la caution d'un philosophe anglais important, Gilbert Ryle. Dans un livre de 1949, *The concept of Mind*[1], il a critiqué la distinction de Descartes entre l'esprit et le corps, la théorie et la pratique et la difficulté qu'ont les héritiers du philosophe français à accepter l'importance du savoir-faire. Tout un courant pédagogique a, sur cette base, exalté aux États-Unis le savoir-faire plus que le savoir, le faire plus que le connaître, car on n'irait jamais de la théorie à la pratique, mais de la pratique à la théorie, de l'action à la règle et non l'inverse.

Ce courant existe aussi chez nous. Des formules l'expriment : les élèves ne comprennent que ce qu'ils font. Ne comprend-on pas mieux une machine en la démontant et remontant et certains éléments géographiques d'un pays en dessinant sa carte ? Et ne sait-on pas depuis Piaget que, chez l'enfant, le stade des opérations concrètes précède celui des opérations symboliques, celles qui recourent au langage ? La classe doit donc être un atelier où l'on pratique aussi des savoir-faire intellectuels et non seulement un lieu où l'on se contente d'écouter. Rédiger, calculer, demande du temps, de l'exercice, et l'amélioration en ces matières est graduelle. Le nouveau curriculum d'études en proposant des apprentissages de savoir-faire et en libérant l'espace professionnel de l'enseignant donne évidemment plus de légitimité à des pratiques pédagogiques s'inspirant de ces idées.

---

1. G. Ryle, *La notion d'esprit*, Paris, Payot, « Petite Bibliothèque », 2005.

Poussant cette logique jusqu'au bout, certains iront jusqu'à prétendre, à la suite de Ryle, que le seul savoir-faire à acquérir à l'école est celui d'une aptitude à organiser les connaissances, à résoudre des problèmes, et que l'acquisition des connaissances elle-même a peu d'importance. Mais le nouveau curriculum d'études ne propose pas, lui, une école sans contenu, sans programme d'études. Au contraire, son contenu est plus riche que celui du programme d'études antérieur.

La crainte que, en introduisant dans le curriculum d'études des « compétences », on n'ouvre la voie à l'abandon des « connaissances », s'alimente chez nous d'un autre débat, très franco-français celui-là. Il oppose, les « républicains », tenants de la primauté des savoirs et des méthodes traditionnelles, aux « pédagogues » qui voudraient que l'école adapte ses méthodes à la diversité sociale ou individuelle des élèves qui la fréquentent. La réussite du plus grand nombre et non seulement de ceux qui sont proches des exigences de l'école est aussi une des préoccupations de la réforme entreprise chez nous. C'est aussi pour cela qu'il fallait libérer l'espace pédagogique de l'enseignant pour permettre la variation des moyens et l'utilisation d'un éventail de démarches et de supports pouvant aller du cours magistral à des méthodes plus inductives, du travail de groupe au travail individuel, de la recherche documentaire à l'étude dans un manuel.

Mais en appliquant, sur la seule base de cette analogie, le débat franco-français à la réalité du nouveau programme d'études, on fait un énorme contre-sens. Les « pédagogues », caricaturés dans le débat français en « pédagogos », sont accusés d'entretenir l'inculture, de vouloir dépouiller le programme d'études de ses éléments culturels (faire pratiquer la lecture dans des modes d'emplois d'appareils électroménagers plutôt que dans les textes littéraires), de vouloir pratiquer une pédagogie sans contenu, une « pédagogie du vide ». L'ambition de notre nouveau programme d'études est tout à l'opposé de ce mouvement. Les éléments culturels y sont bien plus présents qu'auparavant. Mais, surtout, en procédant ainsi, on postule que, si on ne réservait ces éléments qu'à quelques-uns, on mépriserait les autres. Tous ont droit à cette culture, car elle est la leur. Mais pour qu'elle ne reste pas un simple vernis, elle doit s'appuyer sur la culture première à qui elle donne sens.

Des connaissances

En écoutant les débats autour de l'importance à accorder aux connaissances dans l'enseignement, on se rend vite compte que les adversaires ne donnent pas la même valeur à ce mot. Pour les uns, les « connaissances » semblent n'être que des informations qu'on enregistre. Et l'école a évidemment des choses plus importantes à faire que de fournir, comme ils disent, de « simples connaissances ». Pour leurs adversaires, l'école, au contraire, doit donner de l'importance aux « connaissances ». Mais, même s'ils ne le précisent pas, les connaissances dont ils parlent ne se réduisent pas à des informations qu'on apprendrait « par cœur ». Il faut dissiper ces confusions qui empêchent de voir une des tâches importantes de l'école : faire comprendre ce qui doit être appris.

Les contenus du programme d'études n'ont pas pour but de donner des connaissances qu'on stockerait comme des informations, sans effort particulier sinon celui de la répétition. Les contenus présentés dans un programme d'étude sont là pour que l'élève les sache vraiment, c'est-à-dire pour qu'il puisse les utiliser à bon escient. Pour atteindre cette fin, il est d'abord indispensable qu'il les comprenne. Aussi, par exemple, l'école ne se contentera pas de dire et de faire apprendre à l'élève que Jacques Cartier est arrivé à l'entrée du golfe du Saint-Laurent, car cela n'est qu'une information. Elle lui donnera la signification de ce fait en le rapprochant d'autres voyages de découverte du Nouveau Monde, en montrant les effets, les conséquences, etc. Dans les différentes matières du programme d'études, ce qui est présenté ce sont des concepts — en astronomie, on aborde les concepts fondamentaux qui permettent la compréhension du système solaire : qu'est-ce que la sphère céleste ? comment mesure-t-on la terre ? —, et pour que l'élève maîtrise ces savoirs il doit les rattacher à d'autres savoirs, à des causes, des principes, des lois, et là où la causalité est moins présente, dans les sciences humaines, à d'autres éléments du contexte.

Le programme d'études ne demande donc pas seulement d'acquérir des savoir-faire, il demande aussi de faire en sorte que l'élève acquière des savoirs. Mais faire acquérir des savoirs à un élève, c'est faire en sorte qu'il les comprenne. Or comprendre, c'est tenir ensemble, lier. Une information peut être isolée, mais non le savoir. Il n'y a de savoir que lié à d'autres éléments qui l'expliquent ou lui donnent sens. Et cela est valable non seulement pour les sciences physiques ou pour les mathématiques, mais aussi pour la littérature ou l'histoire. Comprendre un texte littéraire, c'est le rattacher à l'auteur, à l'époque, au courant littéraire dont il est une expression ou une réaction. Comprendre en histoire, c'est relier le fait historique à d'autres faits historiques et aussi à l'organisation politique, sociale, économique, technologique, religieuse de la période dans laquelle il s'inscrit. Et c'est pourquoi il faudrait donner de l'importance à la question. Pour y répondre, l'élève doit relier des choses ensemble, et plus la question qui lui est posée, ou qu'il se pose, est vaste, plus il devra relier ensemble des choses différentes et plus sa compréhension sera riche. Mais que l'on mette l'élève ou un groupe d'élèves en situation de recherche de réponse — et dans ce cas, il pratiquera aussi ces savoir-faire intellectuels que sont la formulation d'hypothèse, la vérification d'hypothèse, la recherche documentaire, l'explication argumentée — ou que, dans un enseignement structuré qui procède du simple au complexe, l'enseignant donne lui-même la réponse en expliquant, c'est-à-dire en dépliant la question, dans les deux cas, ce que l'on cherche, c'est que l'élève comprenne. Dans les deux cas, cette compréhension implique l'activité intellectuelle de l'élève et rien ne garantit qu'il ait vraiment compris. Pour le savoir, il faudra vérifier sa compréhension.

Distinguer information et concept, connaissances apprises et connaissances comprises. La transformation des connaissances apprises en connaissances comprises est aussi un des buts de l'école. Le travail de l'enseignant ne consiste pas seulement à faire acquérir ces savoir-faire que sont certaines opérations intellectuelles, mais aussi à faire « comprendre la matière », comme on dit. « Comprendre les notions » qui constituent le tissu des matières du programme d'études est pour l'élève un travail d'une autre nature « qu'apprendre des connaissances ».

Comprendre/faire

Il y a donc des savoirs et pour qu'ils deviennent tels, il faut travailler à les comprendre ; il y a aussi des savoir-faire et, pour les acquérir, il faut travailler à les faire pratiquer. Comprendre, faire : ces deux choses sont à la fois liées et distinctes. Liées, car il y a des choses dans la vie et à l'école qu'on ne comprend bien qu'en les faisant et il y a des choses dans la vie et à l'école qu'on ne fait bien qu'en les comprenant. Et certains suivront le mouvement : apprendre pour savoir, comprendre pour mieux savoir, comprendre pour agir ; et d'autres le mouvement : agir, comprendre pour mieux agir, apprendre pour mieux comprendre.

Dans sa pratique professionnelle, un enseignant se soucie de faire acquérir à ses élèves et des savoirs et des savoir-faire. Pour y arriver il distingue ces deux éléments, mais dans la pratique il les conjugue, parfois en continuité, parfois en alternance. L'acquisition par les élèves des savoirs et des savoir-faire demande à l'enseignant l'utilisation de stratégies différentes. Pour acquérir les savoirs, la difficulté principale que rencontreront les élèves sera celle de l'abstraction (est abstraite une réalité qu'on peut seulement penser, est concrète une réalité qu'on peut voir, toucher, manipuler). Pour acquérir les savoir-faire, la difficulté principale qu'ils rencontreront sera la nécessité de l'exercice et du temps, qui seuls permettent d'atteindre l'aisance dans la pratique d'un savoir-faire. Ils retrouveront facilement le savoir-faire s'il est devenu chez eux une habitude et qu'ils continuent à l'exercer. Ils retrouveront facilement le savoir s'ils sont capables, par raisonnement, de reconstituer les liens. Quand l'élève sera incapable de « faire correctement », il y aura échec du savoir-faire et cela se voit vite. Quand l'élève constatera, par lui-même, qu'il n'a pas compris — car, comprendre, personne d'autre que soi ne peut le faire pour soi —, il y aura échec pour le savoir. Mais cela ne se voit pas vite, car l'élève peut penser qu'il a compris alors que ce n'est pas le cas. Pour qu'il puisse vraiment se rendre compte de ce qu'il en est, il faudra l'amener non à répéter textuellement ce qu'il a appris, mais à expliquer ou appliquer ce qu'il a compris. Expliquer ce qu'on a compris, c'est être capable d'en rendre compte avec ses propres mots ou en référence avec ses propres expériences. « On n'a bien compris une chose que quand on est capable de l'expliquer à sa grand-mère », disait Einstein. Appliquer ce qu'on a compris, c'est être capable d'utiliser ce qu'on a compris dans un contexte autre que celui dans lequel on l'a appris : nouveaux problèmes résolus, autres exemples éclairés par le concept, liens (opposition, analogie, corrélation…) établis entre ce qu'on a compris et d'autres concepts.

Montaigne et la compétence

Je constate que les auteurs qui utilisent le mot « compétence », dans le sens de Chomsky, pour indiquer cette capacité de mobiliser « ce qu'on sait » pour traiter des situations complexes, mettent toujours dans ce « ce qu'on sait » des savoirs acquis, mais compris et intégrés, et des méthodes ou des savoir-faire, mais parfaitement maîtrisés. Le développement d'une telle capacité revient à l'école, disent de nos jours les constructivistes. Mais qui en doute ? Cette question n'est pas neuve, elle a déjà mobilisé des générations d'enseignants qui se souciaient de former ce qu'ils appelaient la tête « bien faite ».

Le vieux Montaigne a, le premier en Occident, ouvert la réflexion sur cette question en se demandant ce qu'est apprendre. « C'est témoignage de crudité et d'indigestion que de regorger la viande comme on l'a avalée. […] Les abeilles pillotent deçà delà les fleurs, mais elles en font après le miel qui est tout leur ; ce n'est plus thin, ny marjolaine. […] Les pièces empruntées d'autrui, l'élève les transformera et mêlera pour en faire un ouvrage tout sien, à savoir son jugement. Son institution, son travail et estude

ne visent qu'à le former [...]. Savoir par cœur n'est pas savoir. »
Et cet autre texte encore : « Il ne faut pas attacher le savoir à l'âme,
il y faut l'incorporer, il ne l'en faut pas arrouser [arroser], il l'en
faut teindre[2]. »

Ces métaphores disent ce qu'implique un véritable apprentissage : intégration des connaissances à celles que l'on possède déjà
pour en faire son miel ; le jugement s'exerce vraiment lorsque la
répétition de ce que l'on a appris n'est plus possible ; activités de
« transformation » et « d'incorporation » par l'élève lui-même pour
obtenir ce résultat (de nos jours, on entend parler de « construction ») ; constitution de structures souples qui permettent d'utiliser
ce qu'on a appris dans des contextes différents de ceux dans lesquels
on l'a appris (de nos jours, on entend parler de « transfert ») ;
structures souples (de nos jours, on entend parler de « compétences »
pour nommer certaines d'entre elles), signes d'un savoir qui dépasse
la simple mémorisation parce qu'il a imprégné tout l'être comme
la teinture imprègne une étoffe. Toutes ces idées, dont on entend
débattre de nos jours, sont déjà là. Elles n'étaient pas partagées
par tous du temps même de Montaigne, à cet autre moment de
la croissance exponentielle des connaissances, à l'aube de la
Renaissance. En tenant ces propos, il se tenait à distance de l'idéal
encyclopédique d'Érasme et de Rabelais. La voie classique de la
formation du jugement était pour ces derniers l'acquisition de
connaissances par la mémoire. Pour Montaigne, non seulement
la connaissance ne suffit pas pour une bonne formation du
jugement, mais elle la compromet lorsqu'elle est en excès.

Une école sans programme d'études

Je ne cesse de m'étonner de la persistance, dans l'opinion publique,
de l'idée que le nouveau programme d'études n'imposerait plus
de contenus de connaissance à apprendre par l'élève. Évidemment,
les changements de vocabulaire pour parler de ce qu'on enseigne

---

2. M. de Montaigne, *Essais*, livre I, chap. XXIV, « Du pédantisme ».

ou apprend font perdre les repères et certaines pratiques pédagogiques font craindre que toute l'école ne se transforme en jardin d'enfants.

Et pourtant, il y a un programme d'études définissant des savoirs à faire acquérir dans les grands domaines d'apprentissage de nature disciplinaire que sont les langues, la technologie, la science, les mathématiques, l'univers social, les arts, le développement personnel. Les contenus de ce programme sont déterminés par l'autorité politique. Avoir un programme d'études déterminé par l'autorité politique signifie qu'il y a des choses qui méritent d'être transmises, maîtrisées, comprises, et qu'elles doivent l'être. Pour donner plus de légitimité à ces contenus, la détermination des savoirs essentiels n'a pas été confiée, comme on le faisait par le passé, aux seuls experts des matières ou des disciplines. Les questions concernant les grands champs d'apprentissage à prévoir pour le programme d'études et les orientations à privilégier dans chacun de ces champs ont été longuement discutées, dans les rapports et lors des états généraux sur l'éducation. C'est au terme de ce long travail de gestation que notre groupe de travail a proposé des orientations sanctionnées par l'autorité politique et que les experts, dont près d'un millier d'enseignants, se sont mis à l'œuvre pour les traduire dans le programme d'études.

Cette manière de procéder n'est pas innocente. Le contenu du programme, ce sont ces savoirs et ces savoir-faire qu'une société, à une période donnée, juge importants et donc exige. Ces savoirs et ces savoir-faire ont été constitués dans le passé, ils sont transférables, seront utiles pour mieux vivre et on passera du temps à l'école pour les maîtriser dans la durée. Kant parle quelque part d'une colombe qui, sentant en volant la résistance de l'air, s'imagine qu'elle volerait mieux dans le vide, oubliant que l'air, avant de le freiner, la porte. Il en est de même pour l'héritage transmis d'une génération à l'autre. Avant d'être un obstacle éventuel au changement, ce qui est reçu de ceux qui nous ont précédés est ce qui rend un véritable changement possible. Sans quoi les générations ne feraient que répéter inlassablement les mêmes balbutiements. Vouloir, par crainte d'attenter à la liberté des enfants, qu'ils construisent eux-mêmes le programme des savoirs qu'ils acquerraient, c'est leur refuser les moyens de devenir libres. L'école est le lieu où des jeunes esprits sont mis en contact avec le savoir établi. Ils l'apprendront d'abord pour pouvoir le modifier plus tard.

L'importance nouvelle accordée aux savoir-faire et de façon générale au développement de l'esprit de l'élève fait craindre qu'on abandonne les contenus des programmes pour ne s'intéresser qu'au seul développement de l'activité intellectuelle. Effectivement, cette conception de l'école a été soutenue. Certains ont pensé qu'il suffirait de présenter aux élèves, pour assurer leur formation, des jeux formels d'activité de l'esprit, de type jeu d'échecs. Le Logo, ce jeu informatique de la tortue, mis au point par Papert, a eu déjà chez nous un certain succès au début des années 1970. Le ministère de l'Éducation a même alors soutenu son développement. Ce jeu permet un type d'apprentissage intellectuel appelé « apprentissage piagétien sans curriculum ». Ce terme barbare dit l'essentiel de l'intention. Piaget a montré que l'enfant avant d'arriver à l'école construit ses propres connaissances en explorant et en travaillant au fil d'interactions continuelles avec les objets environnants. Les enfants apprennent tant de choses sans qu'on les leur enseigne avant d'arriver à l'école et souvent l'école éteint ensuite chez eux un tel élan. Alors pourquoi ne pas continuer et développer cette capacité d'exploration, d'interaction, de résolution de problèmes, de réflexion formelle, indépendamment des contenus d'un programme d'études ? Il y a toujours des adeptes du Logo à travers le monde. Et pour eux, l'usage dans les classes de l'internet, du multimédia ou des suites bureautiques n'est qu'une mode superficielle qui n'atteindra jamais le potentiel de formation du Logo. Cette utopie d'une école sans programme sera toujours présente. D'ailleurs, les développements du logiciel pour apprendre et ceux des jeux éducatifs multiplieront ce type d'offres.

Une telle école est possible, mais ce n'est pas celle qui est voulue quand on privilégie la perspective culturelle dans l'établissement du programme d'études. Dans une telle école, si on cherche aussi à développer l'activité de l'élève, on ne le fait pas à vide, mais sur une matière. Ceux qui disent que l'important est l'activité de l'esprit de l'élève qui apprend savent que, dans une école, cette activité s'exerce sur les savoirs qui constituent le programme d'études. Et ceux qui disent que l'important ce sont les connaissances savent que, dans une école, l'enseignement n'est jamais pure transmission de connaissances, mais qu'il vise à susciter l'activité de l'esprit de l'élève pour qu'il en fasse des savoirs. C'est là le paradoxe de l'école. On n'apprend bien que lorsqu'on l'a appris par soi-même ; on n'apprend rien qui ne nous vienne d'un autre. Apprendre par soi-même, tout en apprenant d'un autre, c'est ce à quoi invite Goethe : « Ce que tu as hérité de tes pères, afin de le posséder, gagne-le. »

Mais la présentation du programme d'études est-elle suffisamment claire sur la nature de ces deux objectifs de formation ? Elle est claire en ce qui concerne le domaine du « savoir-faire ». Cette spécification étant nouvelle, on a pris grand soin de l'expliquer. Mais pour l'autre, ces savoirs qui doivent être compris et qui constituent aussi le contenu du programme ? Sans doute le contenu des différentes matières du programme d'études est indiqué, mais le réseau conceptuel qui le sous-tend est-il suffisamment explicite ? Ne pourrait-on préciser les intentions qui ont présidé à la présentation de ces concepts ? Des choix ont été faits, une organisation des concepts a été préférée à une autre. Ce sont là des indications utiles pour celui qui ne doit plus être un simple applicateur de recettes. Et cela éviterait bien des malentendus et des procès d'intention.

Enseigner / apprendre

Le programme d'études est obligatoire, mais l'organisation du contenu des matières laisse maintenant de la latitude à l'enseignant. Le rôle attendu de l'enseignant renvoie désormais davantage à ceux du stratège, du constructeur de situations d'apprentissage, d'entraîneur, de leader, plus qu'à celui du technicien qui, selon un ordre et des procédures déterminés par d'autres, déploierait le savoir devant ses élèves. L'enseignant est invité désormais à faire sa propre programmation : fixer les étapes et les objectifs, prévoir les scénarios d'apprentissage.

Ce contexte nouveau invite à se demander si sur les routes ouvertes et balisées par d'autres, bien avant nous, les élèves ne pourraient pas eux aussi faire leur propre chemin. Au lieu de toujours les transporter dans un cours que l'on déroule selon l'ordre de l'explication, ne peut-on, au moins de temps à autre, les laisser marcher à pied, seuls ou accompagnés ? Pour pouvoir faire cela, l'enseignant sera porté à prendre un peu de latitude par rapport au déroulement du programme afin de gagner du temps pour pouvoir faire autrement. En se préoccupant davantage de ce que l'élève apprend, il ne cherche pas à enseigner moins, mais mieux, même si cela se traduit par un peu moins de place donnée au maître ou au programme d'études et par plus de place donnée aux élèves eux-mêmes. Toutes ces choses normales quand on enseigne sont maintenant possibles. Mais elles suscitent un débat passionnel d'une ampleur étonnante.

Dans son livre *Moi j'enseigne, mais eux apprennent-ils ?*, Michel Saint-Onge pose clairement le problème[3]. Il n'y a d'enseignement efficace que si l'élève apprend, l'enseignant doit donc s'intéresser non seulement à ce qu'il doit enseigner mais aussi à l'apprentissage des élèves et aux conditions qui le favorisent. Et si je le fais, peut-être que je constaterai qu'il me faudrait dans mon cas enseigner moins et faire apprendre plus. « Maître-programme-élève » constitue la triade de base de la relation scolaire. Or, le nouveau curriculum d'études permet désormais à chaque enseignant de faire bouger un peu l'importance donnée à l'un des éléments de la triade. Il y est d'ailleurs invité puisque certains des éléments de ce programme demandent une plus grande participation active de l'élève. Le développement des savoir-faire ni même certaines compréhensions ne s'accommodent guère de l'écoute passive des élèves.

---

3. M. Saint-Onge, *Moi j'enseigne, mais eux apprennent-ils ?*, Lyon, Chronique sociale, 1994.

C'est dans cet espace de possibilité nouvelle que les appels à la conversion, au changement de paradigme, au passage de celui de l'enseignement à celui de l'apprentissage, se font entendre. À ces appels répondent des accusations sur les intentions maléfiques d'un nouveau programme qui voudrait supprimer ou l'enseignement ou le programme, ou hypostasier l'activité de l'élève. Sans se laisser intimider par les uns ou les autres, il faut se faire une tête personnelle sur la tension entre enseigner et apprendre.

Or, je constate que ceux qui disent que l'important est ce que l'élève apprend ne disent pas que le programme ou l'enseignant ou l'enseignement ne sont pas nécessaires pour qu'il apprenne. Même Carl Rogers, qui plus que tout autre a remis en question le rôle de l'enseignant et de l'enseignement lui-même, n'est pas allé jusque-là. Certes, il veut supprimer complètement l'activité d'enseigner comme relation de pouvoir, au profit de celle d'apprendre, la première empêchant, tuant la seconde — *teaching kills learning*. Pour éviter cela, la classe se transforme chez lui en groupe de pairs qui apprennent par eux-mêmes ce qu'ils ont envie de savoir. Mais en fait Rogers ne supprime pas l'activité d'enseignement, c'est l'élève qui s'enseigne lui-même en se servant du maître comme ressource et de ces substituts du maître qui enseigne que sont les livres et les manuels. Il postule que cet « enseignement » sera d'autant mieux accueilli qu'il répondra à l'attente de l'élève et que les « enseignés », les élèves, tout comme les enseignants eux-mêmes, s'instruisent en instruisant. L'inconvénient, c'est que ce besoin éprouvé par l'élève n'est peut-être pas son besoin réel et qu'il y a un programme à couvrir. C'est pourquoi la mise en œuvre d'une telle forme d'enseignement s'accompagne toujours, comme on peut le voir dans les écoles alternatives, d'un suivi individuel très serré de l'élève. Mais ni l'enseignant ni le programme ne disparaissent. Au contraire.

En libérant l'espace professionnel, la réforme du curriculum d'études légitime le mouvement des écoles alternatives qui s'inspirent des idées de Rogers. Elles sont une des versions possibles de modèles de pratique pédagogique. Elles ne se mettront pas soudain à proliférer. Ce n'est pas une raison pour ne pas s'y intéresser. Ces idées dégèlent un certain nombre d'idées congelées de l'enseignement et de l'enseignant que l'on se transmet pour se rassurer dans l'exercice de son pouvoir. Il faut accepter d'être ébranlé dans ses certitudes et en même temps éviter les excès auxquels tout cela pourrait conduire. Quel est l'équilibre à rechercher dans cette tension enseigner/faire apprendre ? Les qualités nécessaires pour faire ce métier sont l'audace, mais aussi la perspicacité, la clairvoyance, bref la sagacité.

Échouer / se tromper

Alain disait qu'à l'école l'élève, contrairement à l'apprenti dans son atelier, a droit à l'erreur, et c'est pourquoi le tableau dans chaque classe est le symbole de ce qui doit s'y passer : on peut l'effacer, corriger son erreur, et recommencer. À l'école, l'erreur ne blesse pas quand elle est accueillie comme l'étape nécessaire pour apprendre, elle est alors ce qu'il faut surmonter pour savoir et pour savoir faire.

Cette question du sens donné à l'erreur dans l'apprentissage des élèves est une des questions topiques de l'éducation, ce genre de question qui vous divise en camps selon la réponse qu'on lui donne. Le sens donné à l'erreur révèle des lignes de division entre des conceptions que l'on se fait de ce que c'est qu'apprendre et faire apprendre. La nouvelle politique d'évaluation réactive ce débat. Ce qui n'est pas mauvais car, dans le métier d'enseignant, il faut un jour ou l'autre se faire une tête personnelle sur cette question.

Une réflexion sereine sur ce sujet est un préalable pour dissiper la confusion des débats actuels sur l'évaluation. Car si, pour certains, l'erreur est un moment qui doit être redressé, pour d'autres, c'est une faute, c'est un échec. On a dans cette double réponse la base de la distinction entre l'évaluation « formative », celle qui signale les erreurs à corriger et l'évaluation « sommative », celle qui sanctionne la réussite ou l'échec. Et tout le débat porte sur l'importance à accorder à chacune d'entre elles.

Erreur, échec : il y a continuellement un glissement de sens entre ces termes. Les responsables des systèmes scolaires, les parents, le public en général n'aiment pas l'échec, ils acceptent mal l'erreur de l'élève et son utilisation pour s'améliorer dans son apprentissage. Ils craignent que la prise en compte de l'erreur ne soit que le signe de la tolérance de l'échec. D'où l'importance qu'ils accordent trop souvent à la seule évaluation « sommative », celle qui sanctionne un résultat par la réussite ou l'échec, comme on le voit dans la bataille récurrente du bulletin scolaire.

La question échec/erreur dépasse la question du bulletin. Elle évoque, sans le dire, un arrière-fond qui joue sans arrêt dans les débats et qu'il vaut mieux expliciter pour éviter les malentendus. Cette question renvoie à deux mouvements pédagogiques qui, ces soixante dernières années, ont exercé un attrait sur les systèmes d'éducation. Pour éliminer l'échec dans le résultat de l'apprentissage, on a voulu l'éliminer dans son déroulement même et c'est alors le modèle behavioriste de l'apprentissage de Skinner. Ou encore, pour l'éliminer, et c'est une façon encore plus radicale de régler la question, on a voulu supprimer les normes à partir desquelles on pourrait juger de la réussite ou de l'échec et ce sont alors là les pédagogies non directives du type de Summerhill.

Dans le modèle skinnérien, l'acquisition des connaissances se fait par paliers successifs. L'élève passe d'un niveau de connaissances à l'autre quand il a réussi un premier niveau. Ce succès est un « renforcement positif » qui l'encourage à passer à l'étape suivante, là où l'échec le découragerait. Alors, pour soutenir l'apprentissage, on le découpe en paliers nombreux aussi petits que possibles, en « grains soigneusement classés par ordre de difficultés », selon la formule de Skinner. En agissant ainsi, on cherche à accroître la fréquence des séquences de « renforcement positif » et à réduire au minimum les « situations d'aversion » produites par l'erreur. Dans cette optique les erreurs sont des manques, des échecs, et doivent donc, dans l'apprentissage, être évitées. Ce sont les réponses correctes qui doivent être valorisées.

Cela fait près de trente ans que l'école québécoise, par la conception même du programme d'études qui y était valorisée, mise sur cette idée implicite que, pour l'élève, l'expérience de l'erreur, comme étape qui permet la correction, doit être évitée à cause du

« caractère aversif » de l'erreur, vécue comme échec ! Faut-il s'étonner que, dans ce contexte, l'idée d'une « évaluation formative » ait encore du mal à être acceptée ?

L'autre modèle qui essaie d'éliminer l'échec, celui des pédagogies non directives, n'a jamais trouvé un terrain bien favorable pour se développer et s'implanter durablement chez nous. Mais au moment où on sort du couple « taxonomie-docimologie », détermination des programmes par objectifs intermédiaires nombreux et évaluation par questions fermées à réponses multiples, la référence aux pédagogies non directives hante les débats actuels sur l'évaluation. Pour les non-directifs, la notion d'échec est relative car, les normes étant subjectives, aucune ne doit être imposée. Et il n'y a donc pas, alors, à strictement parler d'échec pour l'élève. Il faut au contraire lui donner confiance en soi, pour qu'il progresse selon sa propre norme et, d'abord, pour lui permettre de la trouver. Toute remise en cause de certaines pratiques d'évaluation est considérée souvent, dans l'opinion publique, comme l'introduction pernicieuse de l'esprit de Summerhill. Et l'on classera vite dans le camp des non-directifs ceux qui n'utilisent pas l'évaluation sous le seul mode de la sanction.

Mais les normes de réussite de l'école sont-elles toutes subjectives ? L'école est une institution sociale, les normes de la qualification qu'elle doit assurer ne lui sont pas propres. Elle est au service d'une collectivité qui lui confie le jugement sur la qualification. Aussi l'élève ne pourra éviter l'« évaluation sanction », celle qui mesure le résultat sans tenir compte du progrès et de ce qu'il a fallu faire pour l'obtenir. Il y a parfois là de l'injustice. Mais vouloir supprimer les examens et leur verdict pour éviter toute injustice, ce n'est pas supprimer l'évaluation, c'est la repousser. L'emploi, la vie s'en chargeront, de façon plus aveugle et plus irréparable que l'école. Le veut-on vraiment ?

Si on se place sur le terrain même de l'intention des pédagogies non directives, celui de la construction de l'élève par lui-même, ne risque-t-on pas, en le laissant seul avec des normes à établir, de mettre sur ses épaules un poids insoutenable ? Quand l'échec ne vient pas d'un critère extérieur mais d'un jugement que je porte sur moi, il peut arriver que je ne le considère plus comme un insuccès relatif, temporaire, mais comme un insuccès qui vient de moi, de ce que je suis, de ce que je vaux. L'absence de norme peut empêcher ainsi l'élève de se construire, elle peut le conduire à la perte de l'estime de soi. Et alors, l'échec n'est plus pour lui une situation d'erreur, d'un échec qu'on peut reprendre, mais une situation d'échec irréparable.

Il faut ici encore naviguer entre des extrêmes et pour cela ni renoncer à évaluer l'élève ni l'enfermer dans son échec. Faire l'inverse serait, dans les deux cas, l'abandonner. Au contraire, on doit lui montrer comment tirer parti de l'erreur, le conduire à en découvrir les causes, renforcer en lui la motivation à les connaître et à les chercher, mais il faut aussi lui faire affronter cette épreuve de caractère de l'examen qui sanctionne.

Désir, plaisir

Tous les débats qui, depuis la fin de la dernière guerre, ont ébranlé l'école ressortent groupés à l'occasion de la réforme du curriculum. Celui qui concerne le couple imposer-écouter est lui aussi au rendez-vous. Les nouveaux dispositifs rendent possible la pratique de ce qu'on appelle les « nouvelles pédagogies » et certains de leurs promoteurs prétendent même incarner la totalité et la vérité de cette réforme. Or l'importance donnée à ce que veut l'élève, à sa motivation, est centrale dans ces pédagogies. Il faut donc essayer d'y voir clair.

Je n'aime guère le terme de motivation, c'est un terme qui vient de l'économie et qui renvoie au comportement du consommateur. Mais c'est un des termes les plus fréquents en éducation. On passe son temps à dire qu'il faut motiver les élèves. Mais le petit chien de Pavlov aussi était motivé en recevant son sucre comme récompense. Non, la motivation à l'école ne doit pas être considérée sous l'angle de la consommation, mais sous celui du mouvement qui pousse les hommes et les femmes à vouloir connaître ou apprendre. À la base de la recherche de la connaissance, il y a le désir. « La connaissance est à la fois un désir et la découverte de ce qu'on a cherché », disait Plotin. J'ai fait mienne cette vision de la connaissance et je pense qu'elle a été celle de tous les éveilleurs d'esprit que j'ai connus : ils s'adressaient à nous comme à des feux à alimenter.

Connaître ou apprendre suppose l'engagement de celui qui apprend. Mais cet engagement n'est pas seulement un engagement de la volonté ni un engagement intellectuel. À la base de ces engagements et pour les soutenir, il y a une force. Et cette force, elle est de l'ordre de l'affect, du désir, le désir de savoir, le désir de comprendre, le désir d'apprendre. Ce que l'on transmet à l'école, savoirs, savoir-faire, suppose l'activité de l'élève et ces instruments lui permettront à son tour de connaître, d'apprendre, d'inventer, de construire. Mais on ne peut pas lui transmettre l'activité de construction elle-même. Elle doit nécessairement être désirée par l'élève lui-même. « Pour penser, il faut se casser les os de la tête », disait Sartre. Chaque fois que je lui rappelle cette formule, mon ami Victor Sheitoyan me dit : « Oui, mais pour pouvoir le faire, il faut que tu ressentes de la *drive*, un besoin impérieux de connaître, de comprendre, de penser. » Derrière le cognitif, il y a le « conatif », l'envie, le besoin, le désir, sinon de connaître, du moins de comprendre. Le fait de comprendre produit une joie particulière, différente et plus pure que celle d'autres réussites. Et, inversement, le fait de ne pas comprendre est ressenti comme un malaise, une souffrance, une humiliation.

Mais dire ces choses, c'est rapidement apparaître comme un adepte du mouvement de l'éducation nouvelle qui a mis la demande de l'élève comme préalable à tout enseignement. Pour Rousseau, l'enfant apprend quand il en a besoin et pour Freinet l'élève apprendra l'orthographe s'il doit éditer un journal de classe et les mathématiques s'il doit construire un objet ou gérer la coopérative scolaire. Tout cela — même si cela heurte les tenants d'une éducation du temps passé pour qui plus c'était pénible, plus c'était éducatif — est parfaitement raisonnable et correspond au bon sens populaire : « On ne peut pas faire boire un cheval qui n'a pas soif. »

Mais le problème se pose quand la soif n'est pas là. Faut-il l'attendre ? « Oserais-je exposer ici la plus grande, la plus importante, la plus utile règle de toute l'éducation ? Ce n'est pas de gagner du temps, c'est d'en perdre[4]. » Oui, mais jusqu'à quand attendre ? Indéfiniment comme à Summerhill, où l'élève pouvait même décider de ne pas apprendre à lire ? Mais il y a un peu d'hypocrisie dans cette pédagogie de la demande : on n'ose pas aller jusqu'au bout de l'attente, alors on manipule. « Sans doute il [l'élève] ne doit faire que ce qu'il veut ; mais il ne doit vouloir que ce que vous voulez qu'il fasse[5]. » Alors je préfère l'attitude plus franche de Freinet : « Donnez soif par quelque biais que ce soit. Suscitez un appel du dedans vers la nourriture souhaitée[6]. » Mais non, Freinet, on ne peut susciter un appel du dedans « par quelque biais que ce soit ». En tout cas, je ne miserais pas d'abord sur les gadgets de la motivation « extrinsèque », ceux de la sanction (récompense ou punition) extérieure. Les « biais » de la « motivation intrinsèque » sont plus proches de « l'appel du dedans » qu'il faut susciter. Et là encore, les éveilleurs d'esprits depuis bien longtemps ont montré ce que sont ces ressorts intérieurs de l'élève sur lesquels on peut s'appuyer. Il suffit de lire les innombrables témoignages portés par leurs anciens élèves sur les professeurs qui les ont marqués et l'on voit que, pour soutenir le désir de connaître et de comprendre, ces enseignants ont su pratiquer des pédagogies de l'activité ou de la grandeur ou du soutien et très souvent les trois à la fois.

Pédagogie et motivation

Des pédagogies de l'activité, ce sont ces pédagogies dans lesquelles l'élève est aussi acteur et non simplement spectateur. Des classes, des écoles qui considèrent l'élève ainsi ont existé et existent. Ce sont

---

4. J.-J. Rousseau, *Émile ou de l'éducation*, Paris, GF-Flammarion, 1966, livre second, p. 112.

5. *Ibid.*, p. 150.

6. C. Freinet, *Les dits de Mathieu*, Paris, Delachaux & Niestlé, 1978, p. 25.

des écoles où l'on pense qu'apprendre suppose un engagement actif de l'élève dans des tâches significatives, dans un environnement qui lui propose des défis stimulants, exempts de menace. Dans ces écoles, l'enseignant ne se contente pas de déverser le savoir à des élèves dociles, il est dans sa classe ce stratège, un leader. Dans ces écoles, dans ces classes, l'élève ne fait pas son temps pour ramasser des notes, mais il y trouve du plaisir à apprendre. Les activités qui s'y déroulent ont pour lui un sens et il s'identifie à cette école parce qu'il s'engage et se construit chaque jour.

Des pédagogies de la grandeur, ce sont ces pédagogies qui s'appuient sur l'élan qui existe chez tout être. Le travail intellectuel fécond exige rigueur, effort, constance, et la différence entre celui qui réussit et celui qui échoue n'est pas souvent différence d'aptitudes, mais différence de travail. Mais pour que se développe chez l'élève le goût des études, il faut qu'à cet effort s'ajoute le plaisir. Or cela est possible, mais dépend d'abord de la conception même que l'on se fait de l'enfant, de l'élève, de l'homme. On peut penser que l'élève est un faisceau de tendances ou d'intérêts à satisfaire et que seules des circonstances extérieures peuvent le pousser à faire l'effort. Et qui ne connaît pas des parents qui considèrent leurs enfants comme des chiens de Pavlov et graduent l'argent qu'ils leur donnent selon le niveau des notes obtenues ? Mais, pour les enseignants éveilleurs d'esprit, l'enfant, l'élève est un être de désir, inquiet, fier toujours et toujours avide de progresser. Un enfant normal, très jeune, s'intéresse à tout, à condition qu'il y voie une épreuve, un moyen de se grandir. Cet élan, présent et visible chez l'enfant, jeune, dans ses jeux, à l'école, il arrive qu'on l'éteigne, que l'école l'éteigne et qu'on ne le voie plus. Mais l'ennui que manifestent des classes mornes d'adolescents n'est-il pas le signe d'une énergie inemployée ? Aussi, les éveilleurs d'esprit pensent que l'élève ne cherche pas que la facilité. Il a aussi le goût du difficile. Pour se réaliser, il cherche aussi sa voie à travers le difficile car, dans cette expérience, il a le sentiment de grandir. Aussi dans leurs pédagogies, c'est ce ressort, cet élan, ce principe de fierté, qui fait l'homme, qu'ils soignent, favorisent, interpellent. Ils ne cherchent pas, comme disait Alain, à engraisser l'esprit de l'élève mais à l'aguerrir. À travers ces pédagogies, l'élève découvre qu'il y a du plaisir à apprendre et qu'à côté du plaisir reçu, il y en a un autre, plus aigu, plus plein, le plaisir conquis.

Des pédagogies du soutien, oui, parce que le plaisir procuré par l'étude ne sera pas constant. Les angoisses, les réticences, voire les dégoûts éprouvés par les élèves face aux études et aux examens ne leur sont pas propres. Ils sont universels, on les connaît à quinze ans comme à cinquante, dans la vie scolaire comme dans la vie professionnelle. Ce qui sauvera l'élève dans ces moments de grisaille et de morosité est aussi ce qui nous sauve : ne pas perdre le sens de ce que l'on fait. Et le fait d'avoir déjà expérimenté le plaisir de comprendre et d'apprendre sera aussi, à ces occasions, d'un grand secours, ainsi qu'à l'adolescence la présence des pairs. Les relations que les jeunes nouent entre eux dans la classe, mais aussi, à certains moments, surtout en dehors de la classe dans des activités extrascolaires, permettent à bien des jeunes de poursuivre une scolarité qui n'arrive plus à les motiver. Dans ces moments de dépression, l'essentiel est de rappeler les raisons premières de ce qu'on a entrepris, puis d'être tolérant, manifester de l'empathie et non faire la morale.

Mais soutenir vraiment les élèves c'est arriver à leur donner le goût, le leur faire découvrir ou retrouver. Le goût, cette chose insaisissable, difficile à définir, existe dans l'art, dans la mode, la littérature ou la gastronomie, mais il existe aussi pour la langue, les sciences, les mathématiques, les arts. Et transmettre aux élèves un goût qui, une fois acquis, s'avérera irréversible est le plus beau cadeau que l'on puisse leur faire. Dans la vie scolaire, on a la chance de rencontrer parfois des maîtres exceptionnels qui nous rachètent des petitesses des autres. Face à eux on se trouve dans un état de défi permanent : « ils aiment leur matière », comme disent les jeunes, et, parce qu'on les admire pour cela, « ils nous la font aimer », comme ils disent encore. Tous les témoignages d'anciens élèves le disent, pour transmettre le goût l'enseignant est irremplaçable, mais surtout le goût qu'il a lui-même de la matière qu'il enseigne. Cette transmission du goût peut susciter des carrières entières, mais son absence, ou sa perte, peut hélas aussi les empêcher. L'influence d'un enseignant en cette matière est tellement forte qu'elle peut agir pour le meilleur ou pour le pire.

Ces pédagogies qui agissent chez l'élève au niveau du désir de comprendre ou d'apprendre pour l'éveiller, le renforcer, le soutenir, sont l'honneur de ce métier. Plus tard, des élèves rencontreront des maîtres qui les éblouiront par leurs savoirs, mais ils n'oublieront jamais ces premiers moments, ceux de l'éveil de la pensée qui s'allume, ceux de la joie ressentie quand on a compris, ceux du plaisir cueilli au bout de la difficulté vaincue.

Je vais paraître sans doute naïf, mais je pense que l'école devrait donner à tous les élèves quelques souvenirs forts qui, comme un viatique, les réconforteront aux moments de désarroi. Que nous arrive-t-il dans nos vies quand rien ne va plus ? Ce sont des souvenirs d'enfance qui nous reviennent, la lumière d'une fin d'après-midi d'été, la danse d'une course en vélo, les cloches annonçant à la volée la fête du lendemain et ces bruits et ces odeurs de la maison qui condensent pour chacun de nous le climat affectif qui fonde nos raisons les plus profondes de vivre. Il serait bon que dans ce stock personnel de souvenirs, il y ait aussi quelques moments de grâce vécus à l'école, des moments où le plaisir d'apprendre et de comprendre, avec d'autres, nous rendait heureux. Que, pour certains élèves, on ait pu être l'occasion de cela, c'est la vraie récompense de l'éveilleur d'esprit. Car, même si la pudeur empêche de l'avouer, on ne fait pas ce métier sans espérer laisser une trace.

Le climat dans lequel se déroulent les débats à l'occasion de la mise en place du nouveau curriculum d'études n'est pas sain. Mais les objets mêmes de ces débats sont importants. Avant que votre espace professionnel ne soit libéré, on se posait moins de telles questions. Les quelques réflexions que j'ai écrites dans la marge de ces débats, et transcrites dans cette lettre, montrent cependant qu'elles sont au cœur du métier d'enseignant. Il faut donc désormais les affronter, en débattre avec ses collègues, mais surtout se faire, soi-même, pour soi-même, une tête à leur sujet. Arriver à se tirer d'affaire de ces situations de tension, de paradoxes et trouver un équilibre satisfaisant, ne sera pas toujours aisé. Et dire que beaucoup pensent que votre métier est un métier facile ! Le simple fait d'avoir été élève ne serait-il pas donc suffisant pour savoir ce qu'est enseigner et comment le faire ?

Réappropriation, persistance, résistance

Il faut bien que je revienne sur l'évaluation. Vous trouvez que l'espace que j'y ai consacré dans ma dernière lettre ne correspond pas à l'importance de cette question dans les débats sur la transformation de l'école. J'en conviens. La sobriété de mes réflexions sur l'erreur et l'échec tranche avec le ton passionné avec lequel cette question est abordée. Mais si j'ai été bref, c'est que je ne voulais pas alimenter l'importance démesurée que prend, chez nous, la question de l'évaluation. Je dis bien « chez nous », car c'est là un phénomène étonnant, facile à observer. Je ne voulais pas vous entretenir dans cette lettre de ce sujet, mais ce petit détour me permettra de me pencher sur une des manifestations de notre inconscient collectif : les difficultés que nous avons avec le contrôle et la confiance.

J'ai travaillé pendant trente ans dans le réseau des cégeps. Durant tout ce temps, la question de l'évaluation fut sans cesse présente à l'intérieur des institutions et dans le débat public. Le professeur évaluait les étudiants, mais quel crédit accorder à cette évaluation et au diplôme ministériel qui en résultait, en l'absence d'examens administrés par le ministère lui-même ? C'était la question lancinante qui revenait sans cesse. Elle a cessé avec la création de la commission d'évaluation des collèges. L'examen que fait cet organisme des différentes activités des collèges sert désormais de témoin et de gage de crédibilité du diplôme décerné.

Le bulletin scolaire

La situation est bien différente au primaire et au secondaire. Des examens ministériels existent. On devrait donc être rassuré et les débats publics sur la question de l'évaluation devraient être plus apaisés. Or il n'en est rien. L'irrationnel qui entoure les débats récurrents sur la forme du bulletin scolaire est là pour l'attester. Périodiquement, les médias accordent plus de place aux controverses qui entourent la « forme » du bulletin qu'aux enjeux des changements dans l'école. Cette question est dans notre paysage depuis vingt-cinq ans, bien avant les états généraux sur l'éducation et elle a déchaîné chaque fois les passions. On l'ignore parce que, dans ce temps, chaque commission scolaire déterminait elle-même la forme du bulletin, les débats atteignaient peu alors les médias nationaux. Tout le monde a une opinion assurée sur la forme que devrait prendre le bulletin et voudrait bien pouvoir l'imposer. Même un ancien premier ministre aimerait y retrouver les chiffres du bulletin de son enfance !

Savez-vous quelles étaient les trois questions qui, autour de la table du Conseil supérieur de l'éducation, suscitaient les réactions les plus passionnées et les positions les plus irréductibles chez les participants ? C'étaient toujours, et uniquement, les questions concernant la langue (et notamment le moment auquel devait commencer l'enseignement de l'anglais au primaire), la place de l'enseignement religieux à l'école et la « forme » du bulletin scolaire ! Pourquoi ce dernier sujet, tout compte fait relativement banal, il y est question de « forme », entraîne-t-il des réactions analogues à celles que suscitent des questions touchant, elles, l'identité, l'appartenance ? Ce fait a toujours été un mystère pour moi. Il révèle quoi ?

Lors des états généraux sur l'éducation, les associations de parents ont demandé constamment que l'on mette fin à la diversité des formes de bulletins et que le ministère impose un bulletin unique et uniforme. À écouter ces groupes, il était évident, pour moi, que cette demande répondait moins à un besoin de standardisation des informations du bulletin pour en faciliter la lecture qu'à une demande de renforcement du contrôle sur votre travail. Il ne faut pas se faire trop d'illusions, derrière le problème de l'évaluation de l'élève et les batailles autour du bulletin se profile toujours, même si elle n'est jamais dite, la question du contrôle de l'enseignement, c'est-à-dire, disons clairement les choses, celle du contrôle de votre enseignement. La question du bulletin n'est jamais seulement une question pédagogique. Elle ne concerne pas seulement votre rapport avec les élèves. Elle renvoie aussi à la confiance que le ministère et la société vous font.

Promettre, à l'échelle nationale, une forme de bulletin scolaire qui rallierait tous les acteurs intéressés par un tel document est une gageure qui ne peut être tenue. En effet, à qui destine-t-on le bulletin? Au parent, qui veut savoir où en est son enfant dans son apprentissage? À l'enseignant, qui veut garder une trace de ce que l'élève a accompli et qui veut aussi lui faire connaître les progrès qu'il a réalisés? À l'administration, qui doit statuer sur la progression de l'élève dans le programme d'études? À des associations, à des groupes, au ministère, qui veulent une standardisation simplifiant les contrôles? Pensez-vous qu'une opération qui viserait à concevoir un bulletin répondant, à la fois, aux désirs de tous ces acteurs puisse se faire sans que ne se développe un jeu de souque à la corde et de luttes de pouvoir? Pour compliquer les choses, ajoutez à cette trame de fond les oppositions sur le nombre de bulletins à produire par année, sur la place qui doit être donnée, ou non, dans ces bulletins aux résultats de l'évaluation «formative» ou «sommative», sur l'intérêt qu'il y a d'adopter des lettres ou des chiffres pour exprimer l'appréciation. Et sur chacune de ces questions, tout le monde a une opinion et y tient. Il y a là de quoi alimenter de longues guerres. Toutes ces guerres qui n'en finissent pas finissent bien, un jour, par finir. Le front du bulletin scolaire se calmera, lui aussi, un jour, quand on se rendra à l'évidence: l'impossibilité de se servir du bulletin pour, à la fois, noter les résultats des élèves et exercer un contrôle sur votre enseignement. Et des dispositifs différents pour atteindre ces deux objectifs différents seront alors mis en place. Un jour, sans doute!

Mais cela prendra du temps, car à la base de cette méprise, si évidente et que pourtant on ne semble pas voir, il y a un fond de méfiance sur la qualité de votre travail qui traduit l'estime médiocre en laquelle on vous tient. Ceux qui doutent de la qualité de la formation intellectuelle que vous donnez doutent aussi de votre capacité à l'assumer. S'ils veulent vous maintenir dans un rôle d'exécutant, c'est pour mieux contrôler ce que vous faites mais ils entretiennent ainsi une piètre estime de votre rôle. Il y a là un cercle qu'il faut briser, qu'il vous faudra briser. C'est la revendication affirmée des rôles de passeur culturel et d'éveilleur d'esprit qui vous permettra de le faire. En exerçant effectivement ces rôles, vous ne vous investissez plus dans votre travail comme un simple applicateur. Et l'estime sociale qu'on vous porte en sortira renforcée.

Se réapproprier l'évaluation

Pendant que se déroulent ces débats stériles sur la forme du bulletin, le vrai travail à faire est tout autre : se réapproprier le plein exercice de l'évaluation. Mais oui, des dispositifs de l'ancien curriculum d'études vous en avaient dépossédés. Cette réappropriation ne sera pas facile. On ne se défait pas facilement d'habitudes prises. Pour comprendre cette difficulté, il faut se rappeler le cercle de la logique skinnérienne du programme d'études et de l'évaluation dont j'ai déjà parlé. Le choix du modèle de détermination des programmes d'études était inspiré par une volonté de contrôler votre enseignement. La détermination de sous-objectifs, nombreux, précisés, indiquait les étapes des démarches à suivre et le type d'évaluation, par question fermée, incitait à aller selon le chemin tracé.

Mais, tout compte fait, on pouvait peut-être accepter assez facilement cette situation de tutelle parce que le système d'évaluation utilisé présentait des avantages. Il permettait notamment de résoudre facilement deux des difficultés de l'évaluation que vit tout enseignant : l'incertitude ou l'erreur possible du jugement et la lourdeur du poids de la correction. Quand l'évaluation détermine le succès ou l'échec mérité ou immérité, qui ne veut s'assurer de sa justesse ? C'est une question de justice. Quant à la lourdeur des corrections, qui ne chercherait à l'alléger ? C'est une question de santé. Or, en utilisant des épreuves par questions, à choix multiples, on pouvait faire coup double. Les questions posées présentent plusieurs réponses possibles, l'élève choisit celle qu'il estime bonne, on n'a donc pas à affronter la difficulté de la justesse du jugement puisqu'on n'a pas à l'exercer. Le rôle personnel d'évaluateur est éliminé, il suffit seulement de compter les bonnes réponses. Mais, coup double, la mécanographie, la machine, peut le faire à sa place. Le travail de correction est réduit à néant.

Vous connaissez les effets pervers de la généralisation d'un tel mode d'évaluation. D'abord on en abuse. La correction étant réglée mécaniquement, pourquoi ne pas imposer de telles évaluations dans les classes à intervalles rapprochés pour jalonner et, disons le mot, contrôler la progression dans le programme ? C'est ce qu'ont fait de nombreuses commissions scolaires. Lors de la première phase des états généraux sur l'éducation, beaucoup de groupes d'enseignants sont venus dire qu'ils passaient le tiers du temps de leurs cours à administrer des tests d'évaluation à leurs élèves. Je ne les croyais pas. Je suis allé voir. Ils avaient raison. Et j'ai vu le cancer qu'était devenu ce type d'évaluation. Et il n'est pas besoin de beaucoup d'imagination pour en deviner les conséquences. Ces instruments mesurent des savoirs ponctuels et non des savoirs impliquant une compréhension globale (des « performances » et non une « compétence », pour parler comme les spécialistes) et ils ne permettent pas de distinguer si la réponse est un savoir appris ou un savoir compris.

Un système d'éducation ne sort pas indemne de vingt-cinq ans de pratique d'évaluation de ce type. Même quand on a décidé d'en sortir, ses effets se font sentir longtemps sur les acteurs et, ici encore, on ne se convertit pas en un jour à une approche professionnelle de l'évaluation. La présentation nouvelle du programme d'études libère votre espace professionnel et propose des objets d'apprentissage plus complexes. Ce nouveau contexte conduit à déterminer soi-même ses stratégies d'enseignement et, parallèlement, à se réapproprier, dans l'évaluation, l'exercice de son jugement. Il faudra accepter que l'évaluation ne soit jamais complètement juste, ni jamais entièrement objective, surtout quand elle porte sur les résultats d'apprentissage de niveau supérieur. Il faudra découvrir ou redécouvrir que l'appréciation chiffrée n'est pas l'unique forme d'appréciation en évaluation et que si l'évaluation des résultats d'un apprentissage ne peut être chiffrée, cela ne rend pas pour autant cet apprentissage non pertinent ou inutile. Il faudra découvrir ou redécouvrir et défendre la nécessité de l'évaluation qualitative dans des domaines ou l'évaluation quantitative n'a pas sa place. Il faudra défendre qu'une telle forme d'évaluation qui s'exprime par des qualificatifs ou par des échelles de valeur (par exemple, Très bien, Passable) ou par des lettres qui les représentent (A, B) est une vraie évaluation, tout aussi légitime que l'évaluation chiffrée. Il faudra développer la pratique d'un regard professionnel sur les comportements intellectuels des élèves, sur la manière dont ils s'y prennent pour exploiter l'information, travailler en coopération, se servir des technologies de l'information, faire preuve d'esprit critique..., bref, un regard professionnel sur tous ces objets du domaine des « compétences transversales » qui, quand on sait les observer, se voient dans le travail de l'élève.

Il faudra se réapproprier ces idées sur l'évaluation, normales dans les systèmes d'éducation, mais que la pratique d'une évaluation qui tendait à éliminer le rôle personnel de l'enseignant comme évaluateur a rendu étranges, étrangères. Cela ne sera pas facile. On ne peut établir un système d'évaluation pour soi seul, on ne peut donc le faire seul, on continuera à vous chipoter votre espace professionnel et les tensions entre les visées différentes de l'évaluation, soutenues par des acteurs différents, ne se dissiperont pas comme la brume, qui était là depuis ce matin et qui vient de disparaître, à l'instant, sous mes yeux.

Se réapproprier la durée

Mais puisque j'ai dû revenir sur l'évaluation et la réappropriation de son exercice, je voudrais vous dire un mot sur une autre réappropriation, celle de l'importance de la durée, du temps comme durée, dans l'apprentissage. Ici encore vingt-cinq ans de pratique d'un programme d'études conçu comme une suite d'objectifs séquentiels à atteindre tend à faire découper le temps en petites unités et donc à faire négliger la durée. L'enseignement programmé ou par objectifs séquentiels nombreux est efficace pour acquérir des savoir-faire spécialisés, comme maîtriser le fonctionnement d'un appareil. Et si cela exige du temps, cela n'exige pas la durée. Mais est-ce là le type d'apprentissage que doit viser l'école ? Peut-elle se contenter de donner des informations disparates et des savoir-faire spécialisés ? Le propre de l'enseignement au primaire et au secondaire ne sert-il pas essentiellement à faire acquérir des savoirs et des savoir-faire qui ne sont pas seulement utilisables dans l'immédiat mais qui permettront d'acquérir d'autres savoirs, de faire face à des situations nouvelles ? Pour se réaliser, cet apprentissage nécessite la longue durée et suppose la maturation.

Les nouveaux dispositifs mis en place dans le nouveau curriculum d'études tendent, à rebours des précédents, à restaurer l'importance de la durée dans l'apprentissage. Le cycle est un espace-temps plus grand que l'année pour approfondir les connaissances. On vous demande de porter attention à ces savoirs de longue durée que sont les « compétences ». Et, désormais, la progression dans le cours dépend de vous.

Je ne suis pas sûr qu'on ait tiré encore toutes les conséquences d'une telle conception sur l'organisation du temps à l'école secondaire. Pour que les nouveaux dispositifs permettent leurs pleins effets, le rapport Corbo, tout comme le nôtre, demandait une révision d'un mode d'organisation basé sur une conception fragmentée des connaissances. Si, par exemple, au premier cycle du secondaire, on enseigne deux matières au même groupe d'élèves, on est avec eux près de la moitié du temps de leur présence à l'école. La gestion du temps de classe dans ce groupe serait-elle la même si on n'avait que la moitié de ce temps et que par contre on avait, pour accomplir sa tâche, deux fois plus de groupes d'élèves à rencontrer ? A-t-on la même flexibilité dans l'organisation des activités d'un cours selon que l'on dispose ou non d'un espace-temps long ou court? Vous connaissez, par expérience, les réponses à ces questions. Et si notre groupe de travail a proposé que soit augmenté le nombre d'heures de français au premier cycle du secondaire, c'est aussi pour de telles raisons. S'il est une matière qui, pour être maîtrisée, demande du temps et du temps de maturation, c'est bien celle-là. Or, en augmentant le temps consacré au français, les élèves n'ont pas seulement plus de temps en français, mais surtout leur professeur passe plus de temps avec eux et, étant affecté à moins de groupes, il a moins d'élèves différents à connaître. Ce sont là des conditions qui favorisent l'approfondissement des connaissances. Mais mon propos ici n'est pas de traiter de ces questions concernant l'organisation au secondaire. Elles dépassent votre seul champ d'intervention. Aussi, je m'en tiendrai simplement à ce que peut signifier pour vous l'appropriation de la durée.

En retrouvant l'importance des moments du temps et de la durée, vous porterez plus attention à des phénomènes que vous connaissez bien mais que l'on néglige trop souvent. Ainsi, à l'école, il est de commune habitude de classer les élèves en faibles et en forts. Or, classer ces mêmes élèves en lents et rapides, c'est faire entrer la durée dans votre jugement. Le regard que l'on porte alors sur eux n'est plus le même, ni les stratégies qui s'ensuivent. On occupera les rapides, on s'en servira comme aides pour faire avancer les lents et on sera attentif à ces moments où les lents s'ouvrent, se déploient. En classant les élèves ainsi, on fait le pari qu'il n'y a pas de situation désespérée.

Et dans une classe, tous les moments du temps sont-ils équivalents? Le début de chaque année scolaire, c'est le temps du « recommencement ». Le moment du premier cours pour chaque groupe d'élèves est un moment de vérité où se déroule un dialogue sans paroles qui peut marquer toute l'année. Chaque élève pressent que des possibilités nouvelles s'ouvrent à lui et il se demande si tout se passera bien durant l'année. À cette inquiétude s'en ajoute une autre, elle concerne l'enseignant, car l'expérience à l'école apprend vite que tous les professeurs ne se valent pas. Alors, au seuil de l'année scolaire, la classe vous guette, car c'est de vous que dépend le régime qui sera vécu pendant l'année. Selon des règles mystérieuses, un contrat sans texte, s'établit alors qui marquera toute l'année. C'est pourquoi le premier cours de l'année ne s'improvise pas.

Et puis, il y a aussi tous ces autres temps, celui de la remise des travaux ou des examens corrigés, celui où l'on entame un nouvel élément du programme, celui où l'on aborde une question complexe qui fait franchir un seuil et ces moments rares où parfois s'établit entre un élève et vous un dialogue, lui aussi sans paroles, dans lequel il vous reconnaît comme maître parce que vous lui révélez à lui-même ce qu'il est. Ces dialogues de la reconnaissance entre esprits sont furtifs, mais décisifs. Et ces moments sont magiques.

La durée, le temps, les temps sont pour la musique sa matière même, et non seulement les sons. Il en est de même pour les connaissances. Pour renforcer chez vous cette conviction, j'aimerais, à contre-courant de tout un mouvement actuel, vous faire l'éloge de la lenteur. La vitesse, la rapidité sont dans nos vies une nécessité : pouvoir me rendre, loin, en quelques heures, pouvoir accéder, vite, à des informations sur des autoroutes aux débits de plus en plus rapides. Mais il est des choses qui au contraire requièrent la lenteur : réfléchir pour donner du sens à ses actions, créer des choses qui visent la pérennité, se créer soi-même, mais aussi construire progressivement des connaissances. Il faut alors savoir introduire cette lenteur dans ces activités, en donnant du temps au temps, en ajoutant du temps au temps pour dégager des espaces temporels de mûrissement, de respiration, de silence. L'accélération et la rapidité sont désormais introduites dans l'école par l'accès généralisé dans les classes à la pratique de l'internet. Cela donne à l'élève l'illusion que la connaissance est au bout des doigts, rapidement accessible et qu'il peut dorénavant se dispenser du travail d'assimilation personnelle. Or, quand on enseigne, on sait bien que la vraie connaissance ne se réduit pas à des informations glanées ici ou là. La vraie connaissance demande que ces informations soient liées. Pour y arriver, cela demande du temps, de la maturation, de la réflexion.

Il y a longtemps, bien avant l'apparition d'internet, le mathé-
maticien et logicien anglais Bertrand Russell avait mis en garde
contre l'illusion selon laquelle des connaissances inscrites sur un
support sont de même nature que des connaissances assimilées par
une personne. Il distinguait deux types de connaissances, la
connaissance par « descripteur », qui peut s'inscrire sur un support,
et la connaissance par « accointance », qui provient d'une familiarité,
d'un contact prolongé avec des choses de l'esprit par l'entremise
d'un maître. Et cette deuxième connaissance ne peut être remplacée
par la première. Aussi, disait-il, malgré les illusions qu'on entretient,
il ne faudra pas s'étonner si on n'arrive pas à utiliser des machines
pour accélérer ce lent travail d'imprégnation du savoir qui se produit
comme par osmose à l'issue d'un contact prolongé entre maîtres et
élèves. Cette imprégnation est l'œuvre d'un contact et d'un
mûrissement. Le recul, la distance, mais aussi la nonchalance, la
distraction et même l'oubli y ont une grande part. J'aime bien
cette remarque de Nietzsche : « Apprendre à voir. Habituer l'œil au
repos, à la patience, l'habituer à laisser venir les choses ; remettre le
jugement, apprendre à circonvenir et à envelopper le cas particulier.
[…] Lorsque l'on est de *ceux qui apprennent*, on devient d'une façon
générale plus lent, plus méfiant, plus résistant. On laissera venir à
soi toutes espèces de choses étrangères et *nouvelles* avec d'abord une
tranquillité hostile, on en retirera la main[1]. » L'école, ce sont aussi
ces moments de lenteur. Et, dans nos souvenirs d'adultes, cette
lenteur a souvent aussi le goût du bonheur.

Mais qui vous soutiendra?

J'ai conscience du travail difficile que vous impose cette réforme du
curriculum d'études. On ne passe pas, d'un coup de baguette
magique, d'une situation de programme d'études où tout est
prédéterminé à une situation dans laquelle un espace professionnel

---

1. F. Nietzsche, *Le crépuscule des idoles*, Paris, Denoël-Gonthier, 1970,
p. 71-72.

est ouvert. Et cette difficulté est redoublée quand il faut réapprendre ce que négligeait un programme d'études empruntant l'esprit de l'enseignement programmé. Cette transformation demandera donc du temps. Mais qui vous soutiendra vraiment dans ce travail de revitalisation de votre métier? Je ne parle pas ici de l'aide technique que peut donner la formation. Non, je parle du véritable soutien, celui qui porte sur le sens de ce qui vous est demandé d'entreprendre, sur les raisons qui le justifient, sur ce que cela implique pour vous, un soutien qui vous montre aussi le gain personnel que vous en retirerez, ainsi que les élèves.

Au moment de la parution de notre rapport, tous les acteurs sociaux ont souscrit aux orientations formulées. On y voyait les gages d'une formation plus exigeante certes, mais de plus grande qualité. On y voyait aussi la condition de la revalorisation de votre rôle de professionnel. Mais maintenant que l'implantation est en marche, ces mêmes voix se taisent et certaines veulent même revenir en arrière.

Le ministère? Il y tient encore, mais jusqu'à quand? D'ailleurs, il ne s'est pas entièrement débarrassé de son ancienne obsession d'État pédagogue qui veut mettre en tutelle et imposer des manières de faire. Il sera sensible aux appels qui lui demanderont de revenir à un encadrement de votre action encore plus serré, comme il sera sensible à ceux qui lui demanderont d'atténuer la perspective huma-niste, centrée sur la formation de citoyens actifs et responsables de l'actuel programme, pour en accentuer une plus immédiatement utilitaire, sinon directement centrée sur l'emploi. C'est ainsi que vont les choses. Au moment où surviennent les difficultés, les institutions retrouvent toujours leur pente naturelle. « On ne peut pas demander à l'homme, la perfection du cheval, chaque être tend à persévérer dans son être », disait Spinoza.

Aussi, il en sera de même pour les syndicats qui vous représen-tent. Ils voudront vous protéger contre une hausse des responsabilités relatives à l'exercice de votre métier et craindront aussi qu'une formation plus exigeante pour les élèves n'entraîne, entre eux, une ségrégation dans l'école. Ils tendront donc naturellement à faire des pressions pour que les normes de la formation des élèves et celles relatives à votre métier soient établies quelque part, près du plus petit commun dénominateur. Ils ne soutiendront pas l'ambition d'un programme d'études qui veut amener à un plus haut niveau la totalité des enfants.

Quant aux facultés des sciences d'éducation des universités, le plan d'études et de recherches du professeur primera vos besoins réels et la conquête de la notoriété, au sein de sa communauté de pairs, le préoccupera plus que l'aide dont vous auriez besoin.

Il n'y a de ma part aucun cynisme dans ces propos, mais un constat que je pense réaliste. Sans doute, vous trouverez dans chacune de ces trois institutions, à des moments donnés et avec certaines personnes, cet appui qui soutient le sens profond de ce que vous entreprenez. Mais cette aide ne sera ni constante ni assurée. Il faudra donc aussi la chercher ailleurs. Et, d'abord, en vous-même, dans la conception que vous vous faites de votre métier, dans les convictions qui vous animent, mais aussi dans le réseau d'échanges de ceux qui partageront cette même vision.

Quel est le thème essentiel des lettres que je vous ai adressées ? Des dispositions nouvelles ont été introduites dans le programme d'études pour que vous puissiez exercer dans votre métier les rôles de passeur culturel et d'éveilleur d'esprit. L'exercice de ces rôles suppose que, dans votre travail, vous ne soyez pas un simple applicateur mais un professionnel. Mais on ne passe pas magiquement d'une situation dans laquelle ce qu'on vous demandait de faire n'exigeait que des compétences minimales à une situation qui exige le plein exercice de compétences professionnelles. Le ministère lui-même, bien qu'il l'ait pourtant voulu, est ambivalent. Il y perd ses repères habituels de contrôle et le pouvoir politique sensible à l'opinion est hésitant. Certains de vos collègues préfèrent, tout compte fait, la situation antérieure où ils n'avaient qu'à livrer une marchandise entièrement formatée ailleurs. Des personnes autour de vous doutent de votre capacité à assumer de tels rôles. Seuls, selon eux, les professeurs des ordres supérieurs le pourraient. Il faudra donc compter d'abord sur soi-même. C'est le développement d'une identité professionnelle forte qui permettra de gagner le droit de pouvoir exercer les rôles de passeur culturel et d'éveilleur d'esprit. Mais de quoi est faite cette identité professionnelle ?

Le rôle social

Si les professions de médecin ou d'avocat sont reconnues, c'est qu'elles jouent des rôles déterminants dans la vie d'une collectivité. Que seraient nos communautés, nos cités si la santé et le droit n'étaient pas protégés, défendus ? Vous exercez aussi un rôle social essentiel dans nos communautés, nos cités, mais par pusillanimité, par pudeur, trop souvent on ne se le dit pas à soi-même et encore moins aux autres. Or, il ne peut pas y avoir d'identité professionnelle forte si elle n'est pas d'abord arrimée à un rôle social. Quels sont les éléments qui fondent le rôle social d'un enseignant du primaire et du secondaire ? J'y ai fait souvent référence dans mes précédentes lettres. Je les redis, en insistant, puisque ces choses essentielles sont trop peu dites.

Il n'y a d'humain que s'il y a transmission. L'homme est le seul être qui ait besoin d'être éduqué. Il vient au monde infiniment démuni. Il a par contre une multiplicité de possibilités. Ces possibilités, il doit les développer. Il ne peut le faire qu'à travers l'éducation. Il n'y a donc d'humain que s'il y a appropriation de ce qui est transmis et donc apprentissage. Pour devenir humain, il nous faut apprendre : c'est le prix de notre liberté. Dans la société, vous êtes un de ceux à qui est confié ce rôle de médiateur entre ce qu'il faut savoir et celui qui apprend. Et ce rôle est confié, plus qu'à tout autre, à vous qui enseignez en maternelle, au primaire ou au secondaire. Après cela, les formations sont davantage marquées par la carrière, l'emploi.

Le monde moderne a transformé l'éducation en école. L'apprentissage traditionnel qui par imprégnation et imitation transmettait des contenus devient maintenant l'apprentissage scolaire. On transmet désormais des savoirs et des savoir-faire intellectuels produits par les générations passées qui permettront à l'enfant et au jeune d'entrer pleinement dans un monde fait de réalisations culturelles. Ce faisant, le maître n'est plus celui qui montre le geste ou qu'on imite. Il est celui qui transmet des savoirs et des savoir-faire et se préoccupe aussi de la transmission des opérations qui permettront d'apprendre seul.

Le médiateur de cette transmission est un humain. On n'entre en humanité qu'au contact d'un autre humain. On va à l'école pour, au-delà des savoirs et des savoir-faire, apprendre à être. On sort de l'école non seulement plus instruit ou plus habile, mais « autre ». Autre, c'est-à-dire soi-même, ayant trouvé son propre visage.

Ces idées simples, mais fortes, disent ce qu'est votre rôle social et son importance. Elles déterminent aussi la trame de fond de votre travail : introduire au monde de la culture, développer le goût d'apprendre et de comprendre, aider à la réalisation de soi.

Mais il ne suffit pas d'avoir un rôle social, il faut encore qu'il soit reconnu. Vous jouissez de l'estime sociale quand on vous reconnaît comme une personne dont les capacités et les aptitudes ont un sens au sein de la communauté. Or, et c'est là ma thèse, pour qu'un rôle social important puisse se traduire à l'égard de ceux qui l'exercent en une estime sociale correspondante à ce rôle, il faut que la représentation de ce rôle et la manière dont on l'exerce correspondent à l'importance de ce rôle social. Disons les choses plus simplement et même crûment. Si la manière dont vous vous représentez et exercez votre rôle d'enseignant est celle d'un simple applicateur de choses entièrement déterminées par d'autres, ne vous attendez pas à une estime sociale importante, car il y a un écart entre le rôle social qui est le vôtre et la manière dont vous l'exercez. Vous pouvez être enseignant, sans être un maître, il suffit que vous suiviez à la lettre le contenu et les méthodes imprimées dans un manuel, mais vous ne jouirez pas d'une grande estime sociale. Pour jouir de l'estime sociale correspondant au rôle social que j'ai décrit plus haut, il faut être un maître. Oui, je sais, ce terme paraît vieux jeu et on préfère avoir le titre de professionnel. Mais du temps de ma jeunesse, ce terme disait tout de l'exercice de ce métier et tous ne méritaient pas ce titre : les maîtres, c'étaient ceux qui étaient capables d'enseigner ce qui n'est pas dans le manuel. Ce sont d'ailleurs les seuls qui nous ont marqués. Les autres étaient des tâcherons.

Mais je veux bien prendre la manière moderne de dire ces choses, puisque le statut de professionnel est revendiqué pour décrire votre rôle. Je ne suis pas cependant sûr que l'on puisse dire que votre travail est celui d'un professionnel au même titre que celui d'un médecin ou d'un avocat, détenteurs d'un savoir spécialisé, inaccessible au commun. Mais cependant, tout comme un professionnel, vous avez fait des études longues, vous disposez d'une certaine autonomie de fonctionnement et surtout l'exercice de votre métier réclame trois choses qui caractérisent le travail du professionnel : la compétence, le jugement, l'éthique. Ces trois fils constituent une trame suffisante pour se faire une représentation plus précise de son rôle d'enseignant, comme professionnel.

La compétence

Enseigner en professionnel, c'est ne pas réduire sa tâche à une pure exécution mécanique. L'expert qui accomplit un acte professionnel dépasse la simple application de ses connaissances théoriques, spécialisées, standardisées. Il ajuste son intervention aux exigences de la situation, il réfléchit dans l'action. Tout son savoir théorique et son savoir d'expérience sont mis au service de la solution à trouver.

Dites ainsi, ces choses sont abstraites, aussi je voudrais vous l'illustrer par un exemple, celui de l'usage des technologies de l'information dans votre enseignement. Comment ignorer des outils qui concernent l'apprentissage ? À première vue, avant réflexion, vous pourriez croire que ces possibilités nouvelles vont à court terme bouleverser et transformer les pratiques de l'enseignement et les marchands d'illusions vous le diront. Mais votre compétence en matière de formation vous conduira à leur reconnaître certes un tel potentiel mais, parce que vous êtes un expert, vous savez par expérience que l'utilisation d'une nouvelle technique ne garantit pas automatiquement une transformation des pratiques. L'usage de ces technologies peut en effet s'accommoder d'un enseignement qui reste par ailleurs traditionnel. Les technologies ont, par elles-mêmes, peu de vertu de transformation des pratiques. C'est l'intention pédagogique qui préside à leur utilisation qui, relativement au changement ou au maintien des pratiques, est déterminante. Ces technologies sont à votre service et donc dépendent de votre conception de l'apprentissage. Vous pouvez penser que la répétition est importante pour que l'élève fasse tel ou tel apprentissage. Et alors vous aurez naturellement recours à des logiciels exerciseurs. Mais vous pouvez aussi penser que les nouveaux savoirs appris par les élèves doivent les conduire à structurer des informations pour leur permettre de construire une réponse adaptée à la situation. Et alors, vous utiliserez des outils qui préconisent des démarches actives de l'élève dans l'appropriation des connaissances.

Ce qui fait votre compétence dans l'utilisation des technologies de l'information, ce n'est pas la maîtrise technique de leur usage. On s'aperçoit d'ailleurs vite que les élèves sont plus habiles que soi-même dans cette maîtrise technique. Non, ce qui fait votre compétence, c'est votre réflexion sur les conditions optimales de l'usage de ces technologies dans différents scénarios d'apprentissage. La compétence de l'enseignant, c'est ce qui lui permet de voir le rapport entre les intentions pédagogiques et les méthodes à utiliser, de même que le médecin expert connaît le rapport entre la médication prescrite et l'intention de guérison du malade.

Mais qu'est-ce qui fait la compétence ? Des connaissances théoriques et pratiques et une formation initiale qui a permis de les acquérir, certes. Et je ne ferai pas ici une liste de toutes les connaissances auxquelles vous ont introduits les sciences de l'éducation. Sans oublier bien sûr les connaissances mêmes dans diverses disciplines. Les couches successives de savoirs que les sciences de l'éducation ont introduites dans la formation pourraient porter à les faire négliger. De mon temps, où elles constituaient la base essentielle de notre formation, pour nous ouvrir à d'autres éclairages sur notre métier, ceux des sciences humaines (psychologie, sociologie), on nous disait : « Pour apprendre l'anglais à John, il faut connaître John. » Puis, pour introduire la didactique dans la formation, on a dit : « Pour apprendre l'anglais à John, il faut savoir comment on enseigne l'anglais. » Puis encore pour introduire les théories de l'apprentissage, on a dit : « Pour apprendre l'anglais à John, il faut savoir comment John apprend l'anglais. » Tout cela ne doit pas nous faire oublier l'évidence : « Pour apprendre l'anglais à John, il faut aussi, et d'abord, savoir l'anglais. » Donc, qu'est-ce qui fait la compétence ? Toutes ces connaissances certes, mais entretenues, renouvelées, digérées, intégrées de façon réflexive, dans sa pratique, devenues savoirs d'expérience. Information, ouverture d'esprit, curiosité, réflexion, intégration, voilà ce qui fait la compétence.

Et pour vous maintenir ainsi en alerte, puis-je vous suggérer de lire ou de relire de temps à autre des philosophes qui on traité de l'éducation ? Je les ai souvent cités. Ils ont l'avantage de ne pas arriver avec des solutions mais avec des questions. Tout philosophe est plus intéressant par les problèmes qu'il aborde que par les solutions qu'il propose. Aussi l'importance d'un philosophe se pèse à la densité et à la profondeur de ses questions. Que reste-t-il des réponses de Platon dans la *République*? Rien ou presque. En revanche, le feu de ses interrogations vibre encore vingt-quatre siècles plus tard et donne sens aux réponses que nous leur donnons. Ne cherchez pas des réponses dans la philosophie comme le physicien peut le faire dans la physique, mais écoutez l'âme, le pas, la démarche de la pensée qui s'interroge. En vous mettant à l'écoute de ces questions, vous vous encouragerez à réfléchir sur votre travail, sur son sens. N'hésitez pas à fréquenter ces auteurs. D'ailleurs, ne faites-vous pas le même métier qu'eux, celui d'éveilleur d'esprit ? Fréquentez aussi évidemment ces autres hommes ou femmes qui, eux aussi, ont fait le même métier que vous, ces grands pédagogues qui ont jalonné l'histoire de l'éducation, les Montessori, Pestalozzi, Freire et les autres.

Le jugement

Depuis une cinquantaine d'années, on essaie de mettre au point des outils de prise de décision appelés systèmes experts. On analyse des procédures de décisions telles que les décrivent les experts qui prennent ces décisions et l'on bâtit des outils logiciels tenant compte de ces paramètres. Mais, de plus en plus, on se rend compte que les décisions qui se prennent sur le terrain ne se réduisent pas à ces procédés. Il y a d'autres savoirs invisibles qui interviennent dans les décisions des grands experts. Ainsi le diagnostic d'un médecin ne se réduit pas à quelques procédures simples et linéaires. Dans sa décision interviennent l'intuition et ce coup d'œil qui s'acquiert avec l'expérience. Il en est de même pour vous. C'est un jugement fait de perspicacité, de connaissances intégrées, de réflexion sur ses pratiques, d'équilibre et de sagesse qui fait de vous un véritable professionnel.

S'il y a un métier qui demande l'exercice du jugement, c'est bien le vôtre. Freud disait, je crois qu'enseigner ou éduquer est un métier impossible. En tout cas, c'est pour le moins un métier complexe. Les programmes d'études nouveaux ne règlent pas les contradictions et les tensions dans lesquelles, au jour le jour, vous êtes pris dans votre classe. Au contraire, ils les accentuent. Faut-il avancer dans le programme ou répondre aux besoins des élèves qui traînent encore? S'imposer pour avancer ou prendre le temps pour rallier? Donner de l'importance à l'évaluation formative ou sommative? Mettre l'accent sur les savoirs, les savoir-faire ou sur les valeurs, la socialisation? Et quand? Donner de l'importance à la compétition ou à la coopération? Souligner à l'élève les progrès pour l'encourager ou l'exposer à la rude vérité des résultats? Donner de l'importance à la structuration de la pensée ou à l'expression d'une pensée créatrice? S'impliquer personnellement dans les relations avec les élèves ou rester neutre? etc. Ces contradictions ne seront jamais entièrement surmontées.

Il faut faire preuve de jugement et chercher, sans cesse, un équilibre dans l'ajustement des éléments qui constituent les pôles de la relation scolaire: le programme, l'élève, le maître. Il y a un programme, il y a des préalables dans les connaissances, il y a des niveaux de contenu déterminés en fonction de l'âge des élèves, il y a de la logique disciplinaire, il y a de la didactique. Si la prise en compte de ce pôle est trop forte, on ne donne que des cours, l'enseignement sera la seule forme d'apprentissage proposée dans la classe. Par contre, si elle est trop faible, il n'y aura pas de contenu, ou il sera trop faible, et la formation des étapes ultérieures ne pourra s'appuyer sur un socle solide. Il y a des élèves et ils sont différents, leur état psychologique, leur capacité d'attention et de concentration, leur niveau, leur rythme de travail, leur style cognitif, etc., sont différents. Si la prise en compte de ce pôle est trop forte, on risque de favoriser la passivité et de se concentrer sur les seuls processus d'apprentissage au détriment de ce qu'il convient d'apprendre. Par contre, si elle est trop faible, l'élève accumule les échecs et perd l'estime de soi. Il y a un enseignant dont la fonction symbolique de maître correspond à ce que l'on est, on a une formation, on a une compétence, on a aussi de l'expérience, une personnalité, un tempérament. Si la mise en relief de ce pôle est trop forte, on mise trop pour faire apprendre sur l'effet de sa parole et de son autorité. Si ce pôle est par contre trop faible, l'élève n'a pas l'occasion de se confronter à une règle extérieure à lui et la possibilité de l'identification comme élément de motivation ne pourra plus jouer.

Et ne pensez pas que des pédagogies taillées selon des patrons précis vont vous sortir d'affaire et vous feront faire l'économie du jugement. Les systèmes pédagogiques sont des systèmes en l'air, élaborés pour des maîtres moyens, travaillant dans une classe de niveau moyen. Le malheur, c'est que ces outils ne correspondent à rien de réel. Et puis, il n'y a pas une, mais des pédagogies. Laquelle choisir ? De toute façon, ces pédagogies donnent des règles. Mais être pédagogue ne se réduit pas à connaître les règles, c'est savoir quand les appliquer, à quel moment, dans quelle situation, dans quelle matière, dans quelle classe. Ne comptez pas trop non plus sur des recherches qui viendraient dire de façon décisive la supériorité d'une méthode pédagogique sur une autre. Les recherches en éducation fournissent des explications et des commentaires sans fin sur ce qui s'est passé, mais les chercheurs ne garantissent jamais les mêmes résultats pour l'avenir. Les conditions d'expérimentation portant sur l'efficacité en éducation ne sont pas celles qui mesurent l'efficacité d'un médicament. On ne peut contrôler toutes les variables et ce ne sont pas des résultats immédiats, limités, observés dans certains types d'apprentissage, qui peuvent mener à conclure de façon péremptoire et définitive dans un domaine, celui de l'éducation, phénomène long et complexe. On trouve d'ailleurs toujours une étude pour cautionner sa position.

Enseigner est un art et non une science, un art qui requiert création, ajustement, recréation, restructuration de son action et donc continuelle réflexion. De quelque côté que l'on se retourne, il faut naviguer entre tradition et innovation. Mais le passeur culturel, l'éveilleur d'esprit penche le plus souvent du côté de l'innovation.

L'éthique

L'éthique joue un rôle central dans les rapports entre un professionnel et ceux qui recourent à ses services. Cette exigence est encore plus évidente dans les professions (psychologue, travailleur social, médecin, avocat) dont la relation avec les personnes qui les consultent repose sur la confiance. Il en est de même pour le métier que vous faites : il implique une relation à l'autre, et une éthique particulière gouverne cette relation.

On dit souvent que la relation entre un enseignant et un élève est une relation de pouvoir. Ne transmettons-nous pas à l'élève les savoirs qu'on estime nécessaires ? Ne décidons-nous pas pour lui ? Il est inutile de le nier : éduquer, instruire, c'est exercer le pouvoir sur quelqu'un. Aussi une des règles d'éthique importantes de ce métier, c'est le refus de l'abus de pouvoir. Intolérance, violence, arbitraire, intimidation, mépris, autoritarisme, ce sont, on le sait tous, des attitudes et des comportements qui ne sont pas tolérables.

Mais on rend bien mal compte de la relation avec des élèves en ne précisant pas la nature particulière de cette relation de pouvoir. Enseigner, c'est établir avec les élèves un rapport humain qui a une valeur éducative, indépendamment ou presque de la matière enseignée et de l'activité particulière qui lui sert d'occasion. Le prototype de ce rapport particulier est la relation dite maître-élève, dont on a des témoignages depuis vingt siècles. J'aime bien ce témoignage d'un des anciens élèves d'Alain. Il est particulièrement éclairant sur la nature propre de cette relation : « Cet enseignement s'adressait à nous non comme à des élèves mais comme à des êtres humains. Nous étions promis à l'existence. Nulle part on ne pouvait mieux sentir le pouvoir que possédait l'homme de donner l'existence à l'homme par la manière de lui parler. Nous n'étions plus de pauvres enfants, voués, comme il était assez constant alors, à la compassion dédaigneuse et à la mauvaise note. Nous étions de petits hommes, des hommes tout court, des égaux dont la libre appréciation n'était pas seulement admise mais sollicitée [2]. » Quand une telle relation a lieu, l'élève se sent appelé à un plus être. L'exigence qu'il porte est évoquée, convoquée, sa propre existence et sa propre responsabilité à être lui sont comme révélées. Des énergies insoupçonnées qui étaient là en lui, comme en sommeil, sont réveillées. Dans cette relation, l'enfant, l'adolescent en quête de lui-même, confronté à une plus haute exigence, celle du maître, découvre en lui une identité qu'il ignorait et se choisit tel qu'il se souhaitait sans le savoir clairement. Ce que l'on doit à un maître, ce n'est pas telle ou telle idée ou opinion qu'on aurait reçue de lui comme un héritage, ce qu'on lui doit c'est de nous avoir donné l'occasion de découvrir à son contact son propre visage.

Cette relation implique aussi l'égalité. Sans doute quand elle a lieu, comme dans le cas d'Alain, entre un maître et des élèves à la fin de l'adolescence, cette relation égalitaire paraît plus normale. Mais une éthique exigeante pousse à en faire la racine de toute relation avec les élèves. On a de l'autorité sur eux, mais cette autorité, et les élèves quel que soit leur âge le sentent bien, vient, non de son statut, mais de la force que donne, à celui qui l'a conquise, la découverte de sa propre vérité. L'élève est convié, lui aussi, à tracer son propre chemin : il est donc un égal. Pour certains, la relation

2. André Bridoux dans *Hommage à Alain*, Paris, Gallimard NRF, 1952, p. 25-26.

« parent-enfant » est l'archétype de toute responsabilité de l'homme envers l'homme et ils considèrent la relation maître-élève selon cette relation de soutien-dépendance. À la lecture de mes lettres, vous vous êtes rendu compte que ma position est autre. L'éducation ? « Ose penser par toi-même, sors de la minorité. » Rien de plus. Mais c'est immense. Qu'est-ce qui en découle ? Tout simplement que ma responsabilité à l'égard de l'élève est la responsabilité à l'égard d'une personne qui est mon égale, puisque lui et moi sommes conviés à la même chose : être libres.

Cette relation montre enfin comment se fait entre vous et l'élève l'éducation aux valeurs. C'est parce qu'on est quelqu'un que l'élève s'impose à lui-même d'être quelqu'un, non à notre ressemblance, mais selon sa propre fidélité. Mais on ne doit ni dire ni affirmer soi-même que l'on est quelqu'un. Le témoignage de ce que l'on est ne se réalise pas sur le plan de l'enseignement, mais à travers l'enseignement, de manière indirecte et allusive. C'est à travers ce que le maître est que l'élève découvre l'appétit de savoir, le besoin de comprendre, le goût de la lecture, la gratuité, la rigueur, la cohérence, la curiosité intellectuelle, le courage de réfléchir, la modestie, l'amour de la vérité, le plaisir de connaître, l'aptitude à juger, etc. Et ce n'est pas rien. Il y a, à travers l'enseignement donné, plus d'éducation aux valeurs qu'on ne le croit. Et même si on se désintéresse de cet aspect de son métier, on ne peut y échapper.

L'Académie royale de Suède vient d'annoncer qu'elle accorde le prix Nobel de littérature à Albert Camus. Quelques jours après, il écrit cette lettre à l'instituteur du village de son Algérie natale :

19 novembre 1957
Cher Monsieur Germain,

J'ai laissé s'éteindre un peu le bruit qui m'a entouré tous ces jours-ci avant de venir vous parler de tout mon cœur. On vient de me faire un bien grand honneur, que je n'ai ni recherché ni sollicité. Mais quand j'en ai appris la nouvelle, ma première pensée, après ma mère, a été pour vous. Sans vous, sans cette main affectueuse que vous avez tendue au petit enfant pauvre que j'étais, sans votre enseignement, et votre exemple, rien de tout cela ne serait arrivé. Je ne me fais pas un monde de cette sorte d'honneur. Mais celui-là est du moins une occasion pour vous dire ce que vous avez été, et êtes toujours pour moi, et pour vous assurer que vos efforts, votre travail et le cœur généreux que vous y mettiez sont toujours vivants chez un de vos petits écoliers qui, malgré l'âge, n'a pas cessé d'être votre reconnaissant élève. Je vous embrasse de toutes mes forces.

Albert Camus

La face douloureuse du métier

Compétence, jugement, éthique, ce sont là les traits d'un professionnel. Mais ce métier est exercé dans un milieu bien particulier, celui de l'éducation, un milieu constamment exposé à l'analyse critique et à la remise en question. On se sent parfois alors désorienté ou même injustement attaqué. Il faut alors s'arc-bouter à des choses simples. En dépit de toutes les analyses critiques sur l'inégalité des chances à l'école, le poids de l'origine sociale, les biais de l'évaluation, il faut croire que la connaissance libère, qu'enseigner ou faire apprendre, a toujours un sens, que ses évaluations sont objectives, que les élèves sont fondamentalement égaux. Sinon, ce sont tous les principes de notre action qui risquent de s'effondrer.

Et c'est votre moral qui risque aussi de s'effondrer si vous ne vous prémunissez pas contre l'échec. L'échec ou le demi-échec se rencontrent dans tous les métiers fondés sur la relation à l'autre : psychologue, travailleur social, médecin. L'échec est un élément constitutif de ces métiers, il en est de même du vôtre. Mais dans ces métiers, on leur apprend à se tenir à distance. Alors que jouer le rôle de passeur culturel et d'éveilleur d'esprit rend plus vulnérable parce qu'on a du mal à rester à distance. Le sentiment de réussir à éveiller des esprits, à faire comprendre est tellement gratifiant que l'on s'implique personnellement. J'ai souvent constaté que les enseignants les plus engagés étaient affectés, plus que les autres, par les échecs de leurs élèves, de leur école, de leur réseau, comme s'ils étaient responsables de ces situations. Les journalistes, les responsables des médias savent-ils la souffrance provoquée, aux meilleurs des enseignants qui n'y sont pour rien, par leurs relations catastrophiques, parfois injustes, des ratés du système ? Il vous arrive sûrement de vous demander de temps à autre si les satisfactions de ce métier méritent d'être payées par ces angoisses, ces souffrances. Il faut alors traverser le désert, c'est le prix de votre exigence. Mais je vous donnerai dans ma prochaine lettre, ce sera la dernière, une raison de plus pour persévérer.

Mais pour l'essentiel, j'ai bouclé ma boucle. La trame de fond de mes lettres doit vous apparaître maintenant avec plus d'évidence. Une école, lieu de transmission culturelle et de développement de l'humanité chez les enfants et les jeunes, postule des enseignants passeurs culturels et éveilleurs d'esprit. Mais l'exercice de tels rôles ne s'accommode pas de n'importe quelle manière d'exercer ce métier. L'estime sociale à laquelle vous aspirez légitimement ne s'accommode pas, elle non plus, de n'importe quelle manière d'exercer ce métier. Pour que ces deux choses soient possibles, il fallait, c'était tellement évident, libérer, dans la réforme du curriculum d'études, un espace où vous pourriez davantage agir en professionnel. Mais la représentation de ce type d'enseignant est encore en construction. J'oserais même dire qu'au secondaire elle est à construire. La représentation que se fait le public du professeur du secondaire et celle que projette aussi votre corps enseignant lui-même sont encore trop loin de celle que j'ai décrite. Le passage d'une situation de dépendance à une situation de professionnalisation demandera que des personnes comme vous en tracent les chemins.

Préparer un avenir

Ne pas être un simple applicateur, avoir les responsabilités et l'autonomie propres à un professionnel pour pouvoir mieux exercer les rôles de passeur culturel et d'éveilleur d'esprit, c'est en soi un défi qui, malgré les difficultés que vous rencontrerez, vaut la peine d'être relevé. Mais ce faisant, savez-vous que vous écrivez une nouvelle page de l'histoire de l'éducation au Québec ? Évidemment, cette formule vous paraît grandiloquente. Et pourtant…

J'écris cette dernière lettre du pays, de la terre, où je suis né. Il y a quelques jours, j'ai revu la petite école de mon enfance. C'est là que tout a commencé pour moi. Ce que j'ai vécu dans cette école est la matrice de ma vie dans l'enseignement. Mais, curieusement, à ce moment-là, dans ce lieu, je n'arrivais pas à faire le lien entre les expériences que j'y avais vécues et cette réforme du curriculum d'études à laquelle j'ai participé au Québec, ce que pourtant j'ai fait dans quelques-unes des lettres que je vous ai écrites. Non, les pensées qui, dans ce lieu, s'imposaient à moi étaient autres : je rattachais cette réforme du curriculum d'études à la longue histoire de l'éducation au Québec. Mon histoire personnelle n'avait plus d'importance. C'est à une histoire collective que j'avais eu la chance de participer. Du même coup elle était mienne. Ce que je croyais demeurer toujours « mon ici », le lieu de ma naissance, était désormais ailleurs. C'est toujours un sentiment étrange que ressent un immigré quand il découvre le résultat de cette alchimie mystérieuse qui transforme son identité. À ces moments, il se rend compte que même son histoire personnelle vécue, dans le temps, ailleurs, n'est plus rattachée à l'histoire collective de cet ailleurs mais à celle de son nouveau pays. Cette histoire est devenue sienne et il peut désormais, sans gêne, dire « nous » en l'évoquant.

Ces derniers jours, je pensais à ces choses en faisant de la marche en montagne sur les hauteurs qui dominent Itxassou et Espelette. Au fur et à mesure que l'on monte la lecture du paysage change. Voir haut et loin permet de mettre les choses en perspective. Les lignes de force qui structurent le paysage apparaissent alors plus nettement. Les mouvements de terrain que la vue de près amplifiait prennent, dans cet ensemble, leur vraie place et leur vraie proportion. Les lignes de fracture qui déterminent les versants et les bassins s'imposent, sous les yeux, évidentes. Durant cette marche, le paysage de l'histoire de l'éducation au Québec, vu lui aussi ainsi, de haut et de loin, s'animait sous mes yeux. Deux lignes de fracture évidentes : après 1840, après 1960! Située dans cet ensemble, cette réforme du curriculum d'études du primaire et du secondaire ne constitue pas une ligne de fracture. Elle est cette série de collines avancées plus récentes du grand massif de la réforme Parent. Elle n'a pas le même impact structurant. Elle la complète cependant et ce n'est pas déjà rien. En faisant partie du massif de Parent, ancré, lui, loin dans l'histoire, elle a, elle aussi, un point d'appui dans un passé très éloigné. Cela lui donne encore plus de sens. Ne faut-il pas toujours savoir d'où l'on vient pour mieux comprendre où il faut aller? Je vais déplier ma métaphore en replaçant cette réforme du curriculum d'études dans l'histoire de l'éducation au Québec.

Le rapport Parent et le nouvel humanisme

Le rapport Parent constitue une telle fracture dans notre histoire de l'éducation qu'il a produit une coupure de mémoire sur tout ce qui s'est passé auparavant. Or, le moment fondateur de l'héritage du système éducatif de 1950 auquel réagit le rapport Parent se situe, cent ans auparavant, entre 1841 et 1867. Il faut remonter jusque-là pour comprendre ce qui s'est passé et pour comprendre même le sens de la réforme actuelle du curriculum d'études.

La période qui a suivi la conquête a été difficile pour le système d'éducation. Les tensions politiques qui la suivent empêchent un financement stable. L'évolution d'un début de système scolaire établi par le régime français en est affecté. L'échec de la rébellion de 1837-1838 ferme la voie de la libération politique. Que faire dans cette situation pour se protéger contre les tentatives d'assimilation des Anglais ? Les élites francophones confient alors à l'Église un pouvoir d'éducation pour assurer une telle protection. Le projet éducatif de l'Église s'appuiera sur la défense de la religion et de la langue, mais aussi sur la formation d'une élite. Dans un contexte de valorisation d'une société agricole — il faut éviter le libéralisme marchand lié au protestantisme anglais, quant au domaine industriel, il dépend trop de capitaux absents ou inaccessibles —, la formation des élites se cantonnera aux professions libérales. Les « humanités » constitueront la base de formation de cette élite et elle se réalisera dans le collège classique.

Tout cela est bien connu et les « collèges classiques » jouissent encore dans notre imaginaire de la réputation d'un modèle d'éducation fondé essentiellement sur les humanités gréco-latines, héritières du collège de Québec. Or, très souvent, on pense que, dès leur origine, ils ont revêtu cette forme. Mais il n'en est rien. Les premiers collèges étaient plutôt des collèges professionnels. C'est en vertu de la nouvelle orientation que la formation à caractère professionnel est progressivement exclue. Sur les douze collèges classiques créés entre 1840 et 1875, huit étaient auparavant des collèges industriels commerciaux et agricoles. Ce n'est qu'à partir de 1863 que la séparation entre la formation à caractère humaniste des collèges classiques et la formation à caractère professionnel se matérialise nettement. La formation humaniste basée sur l'importance des études gréco-romaines devient alors la voie royale de la formation des élites et d'elles seules.

Mais quels étaient, sous le couvert de la pratique du grec et du latin, les principes de cette formation des élites ? Pour préparer les esprits supérieurs dont la nation avait besoin, on voulait qu'ils fassent l'apprentissage de l'art de bien parler et de bien penser selon les règles établies de la tradition de l'enseignement humaniste. On privilégiait l'étude et la pratique des aspects formels des langues anciennes parce que cet apprentissage offrait la meilleure possibilité, pensait-on, d'une gymnastique intellectuelle. L'histoire ancienne avait aussi de l'importance, mais les autres types de formation, non humanistes, étaient jugés accessoires, sinon dangereux, et de toute façon peu dignes d'intérêt pour une formation supérieure destinée à des « conducteurs d'hommes ».

Certains regrettent encore, paraît-il, la disparition de la pratique du grec, du latin, des règles du syllogisme aristotélicien ou de la rhétorique. Mais je n'en connais pas dans mon entourage. Par contre, je connais des personnes pour qui l'expérience du « collège classique » est tellement associée à une conception élitiste et non démocratique de l'école qu'elles se méfient de toute initiative qui, pour tous les élèves, voudrait donner de l'importance non seulement à des contenus mais encore à des aspects plus formels de la formation de l'esprit. Vous voyez bien que l'ombre portée d'une orientation, prise autour de 1860, est toujours encore présente. Ce passé n'est pas encore entièrement exorcisé. Mais je reviens à la situation que trouve en 1950 le rapport Parent.

Ce choix d'orientation fait vers 1860 aura un effet structurant sur l'ensemble du système éducatif qui se mettra en place pendant cent ans. C'est au nom de l'idéologie de la supériorité de la formation humaniste pour la formation des élites que les universités francophones résisteront longtemps à l'intégration dans leur sein des formations d'une autre nature, notamment les formations scientifiques, techniques et commerciales de haut niveau. Et quand au début du vingtième siècle, le Québec connaît une mutation fondamentale, que, de rural, il devient urbain et industriel, que toutes les traditions d'apprentissage en sont bouleversées, la mise sur pied d'écoles de formation professionnelle tarde à se produire.

La majorité du clergé ne croit pas au développement industriel et la prééminence de la formation classique tend à dévaloriser dans tout le système éducatif les savoirs utilitaires : ils ne sont pas considérés comme relevant de lui.

Devant ces difficultés, la réalité niée trouve ses réponses hors de la sphère de l'éducation, car il faut bien contourner les obstacles. Alors, année après année, sans plan d'ensemble et dans le désordre, des ministères se donneront leur propre école se rapportant aux activités professionnelles dont ils ont la responsabilité. Ils organisent ainsi de fait un système scolaire parallèle. Le résultat ? un ensemble fragmenté, éclaté, incohérent, parfois anarchique. Mais je laisse parler le rapport Parent lui-même : « Reflétant l'état de la culture, l'enseignement est fortement marqué par la division des connaissances. Les systèmes d'enseignement se sont partout développés par l'adjonction de nouveaux secteurs au fur et à mesure des besoins et de la montée de la population : un enseignement scientifique et commercial s'est ouvert parallèlement aux humanités ; un secteur technique a proliféré en marge du reste ; sur le vieux tronc des universités ont poussé de nouvelles branches et parfois des champignons [1]. »

Mais la force du rapport Parent est de dire la cause de cette situation que tout le monde constate et dénonce. Ces cent ans de développement du système éducatif, sans coordination, ont été structurés par une idéologie qui a refusé l'entrée dans la sphère scolaire des savoirs scientifiques, techniques, utilitaires, et cela au nom de la supériorité de l'humanisme classique. La conclusion s'imposait, c'est la conception d'un « nouvel humanisme » qui devra servir de principe directeur à la réorganisation du système éducatif. Parler de « nouvel humanisme », c'était dire qu'un « ancien humanisme » avait servi de référent à la constitution du système mis en cause. C'était aussi dire que l'éclatement du système déploré par beaucoup n'était que la manifestation de « l'humanisme nouveau »

1. *Rapport de la commission royale d'enquête sur l'enseignement dans la province de Québec*, dit rapport Parent, 1966, tome II, § 11.

marqué par la pluralité et la diversité de ses expressions. Les formations scientifiques et techniques étaient elles aussi des expressions de l'humanisme, elles avaient dû se développer à l'extérieur du système. C'était enfin indiquer la logique qui devait présider aux réorganisations proposées : rassembler, sinon intégrer, la diversité.

Mais ce n'est pas tout, le rapport Parent va encore plus loin. Cette réorganisation de l'ensemble du système n'est pas pour lui un simple remembrement de structures. Elle suppose aussi la remise en cause de l'*ethos*, des valeurs, des croyances collectives plus ou moins cohérentes, mais aussi plus au moins clairement formulées qui soutiennent l'ensemble d'un appareil de formation. Le « nouvel humanisme » ne doit pas présider seulement à la réorganisation des structures, il devra aussi inspirer la formation qui se donnera dans les nouvelles institutions d'enseignement. Il faut donc, dès le départ, établir les quelques grandes orientations qui serviront à établir les formats de formation. Et c'est ce qu'il fait.

Quelles sont les lignes de « cette recherche d'un humanisme élargi et diversifié en accord avec le monde contemporain qui doit inspirer programmes et éducateurs[2] » ? C'est la recherche de la « complémentarité dans l'unité » entre spécialisation et culture générale, le recours à la tradition des Anciens et à la science moderne, le développement de l'intelligence et le respect de la diversité des aptitudes, l'initiation à l'histoire de la pensée dont nous sommes les héritiers et la préparation à la société de l'avenir, « l'enseignement moderne doit viser un équilibre entre ces buts variés et des sources d'inspiration diverses[3] ». Dans ces ensembles « la formation générale » reste importante. S'adressant à l'élève et à l'étudiant comme être humain responsable et comme citoyen, elle doit être assurée à tous les niveaux de la formation. Et cette formation ne se limite pas à transmettre des connaissances ou à mettre l'élève ou l'étudiant en contact avec des œuvres, elle doit aussi lui apprendre à communiquer, à porter des jugements, à faire des choix de valeurs. Elle doit,

2. *Ibid.*, tome II, § 15.
3. *Ibid.*

de plus, l'initier à la pratique de la méthode scientifique, le conduire à l'étude du passé, au déchiffrement du présent et à l'ouverture au changement.

Je ne résiste pas à l'envie de vous citer un passage de ce rapport. Il est de novembre 1964 : « Il faudra sans doute […], dans les études, réduire la part de l'érudition et celle des exercices d'application pour se concentrer sur les principes fondamentaux, et développer par ailleurs l'observation, la curiosité, le sens de la recherche personnelle, les méthodes de travail et l'habitude d'utiliser les divers modes de connaissance : mathématiques, psychologie, perception des structures d'ensemble et sens de la causalité, conscience des liaisons entre les disciplines, entre l'enseignement et la vie concrète. La formation doit prendre le pas sur l'information, il faut apprendre à apprendre parce qu'on devra s'instruire sans fin tout le long de la vie. Pour communiquer avec autrui et avec son temps, on devra posséder, à côté des modes d'expression verbale, la perception de l'expression scientifique, mathématique, technique et artistique : la compénétration de ces diverses perspectives va s'accentuant et la véritable culture d'aujourd'hui se situe à leur point de convergence et de rencontre. Les structures scolaires et les programmes d'études devront refléter cet humanisme nouveau et se faire eux aussi suffisamment multiformes[4]. »

Et puisque mon rapport Parent est ouvert, voici un autre texte du même rapport : « Fondée sur la psychologie et sur les sciences sociales, la pédagogie vient à l'appui des objectifs proposés ici. La pédagogie moderne a opéré un retour à un enseignement centré sur l'enfant. C'est un lieu commun de dire que l'école est faite pour l'enfant ; pourtant on pense trop souvent l'enseignement en fonction des programmes, des maîtres ou de l'école elle-même. Cette préoccupation d'un enseignement centré sur l'enfant a présidé à l'élaboration d'une pédagogie active ; celle-ci se propose toujours de partir de l'enfant, de ses intérêts, de son jeu, de son imagination pour développer chez lui la curiosité intellectuelle et l'initiative

---

4. *Ibid.*, tome II, § 45.

personnelle. On cherche à éliminer le pédantisme du maître, le carcan des programmes, la passivité de l'enfant. Ce courant de pensée s'inspire des valeurs que nous voulons voir honorer à l'école : respect de l'intelligence, des dons créateurs, de l'esprit de recherche. Systématisé au niveau de la maternelle et de l'école élémentaire, ce courant pédagogique porte en lui un esprit et une intention que l'on devrait aussi retrouver dans l'enseignement secondaire et universitaire[5]. » Ces deux passages sont des extraits du chapitre qui ouvre le deuxième tome du rapport. Le premier tome faisait la description de l'état du système. Le deuxième tome aborde les propositions de réorganisation du système. Ce chapitre dont le titre est « L'humanisme contemporain et l'éducation » donne en seize pages tout le régime de pensée qui a présidé à cette réforme. Vous n'êtes pas dépaysé en lisant ces citations. J'ai relu, à l'occasion du quarantième anniversaire de la parution du rapport Parent, quelques-unes de ses pages. J'ai retrouvé ces textes. Je ne m'en souvenais plus. Sinon, nous aurions pu les reprendre dans le rapport de notre groupe de travail et la filiation aurait été plus manifeste. On repasse par les mêmes chemins, mais le contexte donne, à ce qui était pourtant déjà là et qu'on ne voyait pas, une signification neuve.

Le nouvel humanisme et les nouveaux programmes d'études

Les préoccupations qui ont inspiré le nouveau programme d'études résonnent comme un écho de ce « nouvel humanisme » qui devait servir de socle au nouveau système éducatif, proposé il y a quarante ans. Mais alors pourquoi est-ce seulement maintenant que l'on s'y réfère pour ce segment du système éducatif, celui du primaire et du secondaire ? Bon sujet de recherche pour les universitaires ! Je ne suis pas sûr que l'explication que je pourrais vous en donner soit complète, mais elle permet de rendre compte de la longue gestation nécessaire pour que des réformes prennent place.

---

5. *Ibid.*, tome II, § 23.

Dès la mise en œuvre du rapport Parent, c'est le cégep qui a monopolisé toute l'attention. La mise en œuvre de ce réseau présentait un intérêt stratégique pour la configuration de l'ensemble du dispositif. En proposant une filière technique, le cégep permettait de répondre rapidement à l'augmentation de la demande d'enseignement supérieur. Placé entre le secondaire et l'université, le cégep absorbait une partie de la demande d'enseignement supérieur. Et pendant ce temps, les universités, de gros collèges classiques qu'elles étaient, avaient le temps de se transformer en institutions polyvalentes déployées dans tous les champs du savoir, autant en enseignement qu'en recherche.

Mais ce n'est pas la seule raison qui explique l'attention portée au cégep. Pour les auteurs du rapport Parent, le cégep était le lieu dans lequel la concrétisation de ce « nouvel humanisme » devait se réaliser de façon exemplaire. Les instituts qui allaient devenir les cégeps devreaient s'en assurer. Ils ne pourraient esquiver cette question. La structure même de chacun des programmes (espaces distincts réservés à trois composantes : formation générale commune, formation générale complémentaire au choix de l'étudiant, formation spécialisée) mettait en effet la table pour l'aborder. Par la suite, cette conception de la formation pourrait influer sur la formation donnée dans les ordres d'enseignement limitrophes qui trouveraient le moyen de décliner, dans leur environnement propre, la forme que prendraient des programmes d'études inspirés de ce « nouvel humanisme ».

Mais les tâches prioritaires de ces ordres limitrophes étaient alors autres. La mission spécifique de l'université était celle de la spécialisation. Cela impliquait qu'elle diversifie ses champs d'intervention, c'était la première tâche à laquelle elle devait se consacrer. Quant à l'ordre primaire et secondaire, sa première tâche était l'organisation sur l'ensemble du territoire d'une offre de services équivalents, assurant partout l'accessibilité et l'égalité des chances. Pour y arriver, la modernisation des structures et des procédés était préconisée. Je ne vous décrirai pas le système qui est le vôtre, ses qualités, son efficacité administrative qui font l'envie d'autres pays.

On peut difficilement en juger et voir les efforts que cela a requis si on ne se souvient pas d'où l'on est parti.

À la veille du rapport Parent (1964-1965), il y avait encore près de mille six cents commissions scolaires au Québec. Je dis « encore » parce que, quinze ans avant, il y en avait quatre cents de plus. Ce système de gouvernance adapté à une société préindustrielle mettait sur le dos des communautés locales le poids du développement de leur école. Au début, la loi établit à 50 % la part d'impôt local dans le budget des écoles. Cette obligation est rapidement levée et l'État lui-même, le tout premier, en profite pour réduire sa part ! « L'impôt foncier fournissait, dès 1873 et jusqu'à la seconde guerre mondiale, 90 % et même 95 % du budget total des commissions scolaires[6]. » Soixante-quinze ans de développement des écoles, favorisant dans ses principes mêmes l'iniquité, les inégalités, l'insouciance, ne se corrigent pas sans un effort qui demande beaucoup d'attention.

Quant à ce qui est advenu de l'esprit de ce « nouvel humanisme » dans les cégeps, je ne vous raconterai pas la résistance qu'il a fallu déployer pour qu'il se maintienne. Je ne vous parlerai pas non plus des difficultés de la traduction de ce même esprit dans les programmes universitaires, ni des tâtonnements qui ont présidé aux premières versions du programme d'études du primaire et du secondaire, postérieur au rapport Parent. Mais à l'évidence ce n'était pas l'esprit de ce « nouvel humanisme » qui les inspirait. Et quant à la dernière version, celle que la réforme actuelle remplace, vous le savez maintenant, elle était inspirée davantage par une logique technocratique d'apprentissage, la pensée skinnérienne, que par ce « nouvel humanisme ».

Et pourtant, pendant tout ce temps, la question de la nature de la formation inspirée du « nouvel humanisme » que doit viser un programme d'études ne cesse de revenir sur la table. Et selon la bonne tradition du milieu de l'éducation, cette préoccupation s'exprime par l'apparition de concepts nouveaux. Ainsi, vous avez

---

6. *Ibid.*, tome IV, § 232.

vu apparaître l'idée de « formation intégrale » pour exprimer une conception de la formation qui veut intégrer dans ses objectifs des aspects intellectuels, mais aussi affectifs, éthiques, sociaux, esthétiques. Puis est apparu le concept de « formation fondamentale ». Créé dans le milieu des cégeps, il a inspiré les réformes de curriculums d'études de ce niveau d'enseignement. Mais il est ensuite repris par l'ensemble du système éducatif. Il sert alors à résister, à la fois, à une école « fourre-tout » et à une école aux visées trop immédiatement utilitaires.

Le fruit était mûr. Une nouvelle réforme des programmes pouvait plus explicitement s'inspirer de ce que signifie ce « nouvel humanisme ». Quand le « comité des sages » (comité Corbo) propose que le programme d'études vise aussi de l'apprentissage de savoirs fondamentaux, comme savoir parler, écrire correctement sa langue, être capable de raisonner avec justesse, savoir prendre une distance critique, savoir trouver l'information et la traiter, nous avions conscience que nous continuions un des chantiers ouverts par le rapport Parent. Quand le groupe de travail sur la réforme du curriculum d'études proposait un relèvement du contenu culturel des programmes d'études en s'assurant de la présence de la perspective culturelle dans chacune des matières enseignées, nous avions conscience que nous continuions un des chantiers ouverts par le rapport Parent. Quand ce groupe de travail demandait que la formulation même du programme d'études soit telle que vous puissiez désormais disposer d'un espace professionnel qui donne sens à ce que vous faites, nous avions conscience que nous continuions un des chantiers ouverts par le rapport Parent. Cette réforme du curriculum d'études se situe dans cette histoire. Nous sommes toujours les enfants de Parent qui lui-même proposait que l'on retisse ce qui avait été disjoint cent ans auparavant. Mais cette réforme du curriculum d'études ouvre aussi une nouvelle page d'histoire qui reste à écrire, une page que vous écrirez.

Vers quelle école secondaire?

Cette page concernera au premier chef l'école secondaire publique, car si l'école primaire publique et l'école secondaire privée ont, au Québec, une longue tradition sur laquelle elles peuvent appuyer leur développement, il n'en est pas de même pour l'école secondaire publique. Voici comment je vois les choses. Le rôle historique accordé au collège classique pour la formation des élites a tellement marqué pendant cent ans le paysage de l'éducation que, au moment où l'on voulait remembrer et réorganiser l'ensemble du système, sa disparition apparaissait nécessaire. Le collège classique était une école secondaire privée. Si une partie de ses dépouilles, celle de la fonction de ses dernières années, a pu être transplanté dans un type d'établissement nouveau, le cégep, l'appropriation de son héritage par le secondaire public était par contre hautement improbable. Bouc émissaire d'un système qu'il fallait reconstruire, son côté suranné et élitiste n'intéressait plus un enseignement secondaire que l'on voulait moderne et accessible.

Cependant, une jonction entre ces deux univers aurait pu théoriquement se produire. Depuis 1930, des commissions scolaires atteignaient un niveau d'études permettant la poursuite des études après le primaire. Après le « primaire complémentaire » (8e et 9e année), trois années supplémentaires de « primaire supérieur » permettaient à quelques-uns d'accéder à certaines études universitaires. Mais ce secteur n'était pas considéré comme étant du secondaire, ce label était réservé aux collèges classiques. Ce n'est qu'en 1956 qu'est établie une « école secondaire » publique, comme niveau d'enseignement offert à tous les élèves, avec notamment des sections générale, scientifique, classique. Tous les pays qui ont dû faire face au développement de l'enseignement de masse se sont trouvés, à un certain moment, en présence de deux filières, l'une provenant d'une rallonge ajoutée aux études primaires, l'autre, spécifiquement secondaire, créée pour préparer à des études supé-rieures. Ils ont été amenés à marier la culture de ces deux filières. Cela n'a pu se faire chez nous. Les deux filières étaient dans deux réseaux différents, public et privé, la culture secondaire publique était encore balbutiante, son amalgame avec la culture du primaire supérieur ne s'était pas encore fait, ceux qui avaient une culture du secondaire, celle du collège classique, pouvaient se retirer et constituer leur propre réseau, un réseau privé, ce qu'ils ont effectivement fait. Pendant ce temps, au cégep, deux cultures différentes, celles des écoles techniques et du collège classique sont mises ensemble. Elles ont dû se marier, l'une s'enrichissant de l'autre. Une conception de la formation et du type de professeur requis pour ce niveau s'est ainsi élaborée, une sous-culture jeune, celle du « cégépien », s'est aussi créée. J'ai passé dans ce milieu l'essentiel de ma carrière professionnelle, je peux vous dire que ce résultat fut un travail de gestation, parfois difficile, de près de trente ans.

L'équivalent de ce mariage des cultures n'a pu se faire pour le secondaire public. Alors, inutile de le regretter. Mais, conséquence, la création d'une tradition d'enseignement secondaire public reste encore un chantier ouvert. Je n'ai jamais cru à la création d'une tradition ou d'une culture propre à un groupe à partir de constructions bureaucratiques. L'école secondaire, à cause de la conception de la formation qui la sous-tendait, de la forme d'organisation (polyvalente) qu'elle s'est donnée, ne pouvait être le lieu d'émergence de la construction d'une tradition d'enseignement secondaire public. Mais de plus, votre rôle, comme acteur ayant un espace propre, y était nié. Or, ce sont les hommes et les femmes qui bâtissent des traditions par leurs initiatives. Et, dans les écoles, ces traditions se constituent d'abord quand on a une vue claire du type de formation voulue pour les élèves et du type d'enseignant pour s'en assurer.

Cette tradition est donc à construire, mais cela ne doit pas nécessairement être votre préoccupation. Vous êtes dans l'histoire, mais ne cherchez pas à faire l'histoire. Laissez-vous seulement conduire par une conception élevée et stimulante de votre rôle et la page d'histoire s'écrira d'elle-même. Voyez-vous comme passeur culturel et éveilleur d'esprit, ralliez vos collègues à cette conception de votre rôle et, en vous retournant en arrière quelques années plus tard, vous verrez les résultats : votre image publique, votre école ne seront plus les mêmes, ni vos anciens élèves non plus. Mais je m'arrête. Je ne sais trop comment vous quitter, aussi je ne voudrais pas, comme on le fait dans un tel cas, étirer le temps au seuil de la porte et vous parler plus longuement de cette question que j'aurai sans doute, de toute façon, l'occasion de traiter ailleurs.

Alors, un tout dernier paragraphe d'adieu. Parmi ceux qui se proposent à mon clavier, j'en ai choisi un. Vous entendrez, autour de vous, des gens dire qu'exercer ces rôles de passeur culturel et d'éveilleur d'esprit est irréaliste, chimérique. Ne les écoutez pas. Laissez-les à leurs jeux critiques et tactiques qui visent à vous rabaisser et à vous maintenir dans la dépendance. Persévérez. Dans un de ses livres (*Le voyage à Rodrigues*), Le Clézio raconte son voyage dans l'île où son grand-père est allé régulièrement, seul, pendant trente ans, pour y chercher de l'or qui y aurait été caché. Il voulait comprendre ce qui animait cet homme dans cette quête dont les tentatives vaines étaient sans cesse recommencées. Or, ce qu'il trouve dans l'île, ce sont les traces nombreuses, multiformes des périples de son grand-père. Elles lui révèlent par où il est passé, mais aussi les hypothèses, les raisonnements qui guidaient cette quête chimérique. Il écrit dans ce livre cette phrase que je vous laisse comme adieu : « Le chercheur de chimères laisse son ombre après lui. »

La réforme et ses textes

Il nous a semblé utile de rappeler en un bref tableau les principaux textes politiques qui, au cours des quarante dernières années, ont ponctué la réflexion sur l'école et la réforme du curriculum d'études, et auxquels notre réflexion fait référence.

Rapport de la commission royale d'enquête sur l'enseignement dans la province de Québec, dit rapport Parent du nom de son président, 5 vol., Québec, Éditeur officiel du Québec, 1re édition de 1963 à 1966.

Rapport de la commission d'enquête sur l'enseignement des arts au Québec, dit rapport Rioux du nom de son président, 3 vol., Québec, Éditeur officiel du Québec, 1969.

Énoncé de politique et plan d'action par le ministre de l'Éducation Jacques-Yvan Morin, *L'école québécoise*, connu sous l'appellation Livre orange, Québec, ministère de l'Éducation, 1979.

Document de consultation du ministère de l'Éducation, *Faire avancer l'école. L'enseignement primaire et secondaire québécois: orientations, propositions, questions*, Québec, ministère de l'Éducation, 1993.

Rapport du groupe de travail, appelé comité des sages, sur les profils de formation du primaire et du secondaire, *Préparer les jeunes au 21e siècle*, appelé rapport Corbo du nom de son président, Québec, ministère de l'Éducation, 1994.

Rapport du Conseil supérieur de l'éducation, *Rénover le curriculum du primaire et du secondaire*, Québec, ministère de l'Éducation, 1994.

Rapport du groupe de travail sur l'enseignement de l'histoire, *Se souvenir et devenir*, appelé rapport Lacoursière du nom de son président, Québec, ministère de l'Éducation, 1994.

Rapport de l'OCDE, *Redéfinir le curriculum : un enseignement pour le 21e siècle*, Paris, 1994.

Rapport final de la Commission des états généraux sur l'éducation, *Rénover notre système d'éducation : dix chantiers prioritaires*, appelé rapport Bisaillon, du nom de son président, Québec, ministère de l'Éducation, 1996.

Rapport du groupe de travail sur la réforme du curriculum, *Réaffirmer l'école*, appelé rapport Inchauspé du nom de son président, Québec, ministère de l'Éducation, 1997.

Énoncé de politique éducative par la ministre de l'Éducation Pauline Marois, *L'école tout un programme*, Québec, ministère de l'Éducation, 1997.

TABLE DES MATIÈRES

Éditions Liber
2318, rue Bélanger, Montréal, Québec, H2G 1C8
téléphone: 514-522-3227; télécopie: 514-522-2007
site: www.editionsliber.org; courriel: info@editionsliber.org

Distribution

Canada:
Diffusion Dimedia
539, boulevard Lebeau, Montréal, Québec, H4N 1S2
téléphone: 514-336-3941; télécopie: 514-331-3916
courriel: general@dimedia.qc.ca

France et Belgique:
DNM, Diffusion du nouveau monde
30, rue Gay-Lussac, 75005 Paris
téléphone: (01) 43 54 49 02; télécopie: (01) 43 54 39 15
courriel: direction@librairieduquebec.fr

Suisse:
Servidis
5, rue des Chaudronniers, C. P. 3663, CH-1211 Genève 3
téléphone: (022) 960-9510; télécopie: (022) 960-9525
courriel: admin@servidis.ch

Achevé d'imprimer en février 2007
sur les presses de Gauvin imprimerie
Gatineau, Québec